북경 맛집 어디까지 가봤니?

류종훈 지음

비단숲

일러두기

본문에 중국어가 많이 나와 표기법을 고민했습니다. 관광객을 뜻하는 '游客(yóukè)'는 외래어 표기법으로는 '유커'라고 해야 하지만 그렇게 말하면 중국 현지에서는 아무도 알아듣지 못합니다. '요우커'라고 해야 합니다. 중국어에는 음의 높낮이에 따른 1~4성까지의 성조가 있어 같은 단어라도 성조에 따라 뜻이 다릅니다. 발음 기호에 따라 1성과 4성은 많은 부분이 된소리로 세게 말하고 들립니다. 대학을 뜻하는 '大学(dàxué)'도 표기법대로 '다쉐'라고 하면 역시 중국인들은 알아듣지 못할 것입니다. '따쉐'라고 해야 합니다. 어색한 된소리의 표기를 피하는 규정 때문에 대부분의 중국어 표기는 된소리에 인색합니다. 하지만 현지에서 체감하기로는 절반 가까이가 된소리입니다. 표기법과 현실의 괴리는 시급히 정비해야 할 문제라고 생각합니다. 책에서는 최대한 사전의 발음에 가깝게 표기하려고 애썼습니다. 애매한 것은 두세 번 거듭 들은 후에 들리는 대로 받아 적었습니다. 표기에 있어 또 다른 문제는 우리식 한자음이 익숙한 경우입니다. 北京(běijīng)은 '북경'이지 좀처럼 '베이징'이 입에 붙질 않습니다. 몇 단어는 우리식 한자음과 중국어를 혼용해서 쓴 경우가 있습니다. 이 또한 배우는 과정이라고 생각하고 베이징이 더 익숙해질 때를 기다려 봅니다. 이러한 점 독자들의 양해를 구합니다.

실제로 식당에 찾아 가시려는 분들을 위해 가시는 길, 추천 메뉴와 예산을 안내해 두었습니다. 본문에 소개된 주소, 전화번호 등을 포함한 식당의 정보는 2018년 10월 기준입니다. 우리와 마찬가지로 북경의 식당 역시 변화가 심합니다. 찾아가기 전 검색과 확인을 권합니다. 지난 몇 년간 환율을 보면 1위안이 우리 돈 160원~180원 사이였던 것을 감안하여 이 책에서는 170원을 기준으로 해 환산해 두었습니다.

Part. 1
대륙을 품은 북경 식탁

프롤로그   06

동북 요리 **추량런지아(粗粮人家)**   18
: 한 그릇 가득 채운 북방 서민들의 식탁

꾸이저우 요리 **뤄뤄쏸탕위(笋笋酸汤鱼)**   34
: 습한 날씨를 견뎌내는 시큼한 식탁

광동 요리(딤섬) **찐딩쉬엔(金鼎轩)**   46
: 24시간 북경을 평정한 광동식 딤섬이 가득한 식탁

후난 요리 **샤오샹푸(潇湘府)**   60
: 마오쩌둥이 극찬한 혁명의 매운 맛이 살아있는 식탁

장시 요리 **탕번웨이(汤本味)**   73
: 북방의 찬바람을 달래는 온기를 담은 식탁

쓰촨 요리 **메이저우뚱포어지우러우(眉州东坡酒楼)**   84
: 중국 4대 요리, 그 중 첫 손가락을 다투는 쓰촨의 식탁

산동 요리 **뚱싱로우(东兴楼)**   98
: 한국과 가장 가까운 중국, 전통의 산동 식탁

상해 요리 **상하이샤오난궈(上海小南国)**   108
: 사회주의 접시에 담은 자본주의의 화려한 식탁

북경 요리 **하이완쮜(海碗居)**   122
: 북경 식탁의 정수, 짜장면의 원조를 찾는 식탁

허난 요리 **진스린(金狮麟)**   136
: 천년 고도, 중원의 맛과 역사를 탐험하는 식탁

Part.2
북경 속
이국의 맛

① 신장 위구르요리 **빠이라오예(巴依老爷)**   148
: 실크로드로 넘어가던 이국의 땅, 이국의 맛

② 티베트 요리 **마지아미(玛吉阿米)**   160
: 꿈꾸는 신들의 땅에서 담아내는 소박한 인간의 맛

③ 윈난요리 **이쭈어이왕(一坐一忘)**   174
: 수십여 민족이 꽃피우는 수백 가지의 화려한 맛

④ 대만 요리 **벨라지오(루강샤오쩐, 鹿港小镇)**   190
: '객가(客家)'의 전통과 다채로운 대만 요리의 만남이 선사한 맛

⑤ 홍콩 요리 **강리찬팅(港丽餐厅)**   205
: 격변의 현대사가 가져다준 공존의 맛

⑥ 연변 요리 **싼촨렁미엔(三泉冷面)**   217
: 잃어버린 우리 과거를 떠오르게 하는 향수의 맛

⑦ 북한 요리 **옥류관(玉流馆)**   230
: 북경에서 맛보는, 가깝고도 먼 북한의 맛

Part.3
북경 특색
소문난
맛집

① 북경 오리구이 **쓰지민푸(四季民福)** 248
: 만리장성을 보지 않으면 대장부가 아니고,
오리구이를 먹지 않으면 여행이 아니다

② 청나라 요리 **나쟈샤오관(那家小馆)** 262
: 식탁 위에 남겨진 만주족과 청나라의 흔적

③ 양 샤부샤부 **르탄슈완로우(日坛涮肉)** 275
: 초원을 내달리던 유목민이 즐기던 양고기의 맛

④ 저택 만찬 **쩡위엔따자이먼(正院大宅门)** 286
: 북경 토박이라는 자부심이 돋보이는 수도의 맛

⑤ 매운 훠궈 **위린촨촨샹(玉林串串香)** 297
: 한국의 매운맛보다 매운 중국 매운맛의 진수

⑥ 해산물 요리 **찌아오똥하이시엔(胶东海鲜)** 307
: 내륙 도시 북경에서 맛보는 황해 바다의 내음

⑦ 가정식 백반 **와이포어지아(外婆家)** 318
: 외할머니가 차려주시던 집밥의 따스함

⑧ 훠궈 **하이디라오(海底捞)** 332
: 13억 중국 대륙을 펄펄 끓게 만드는 기세등등한 맛

⑨ 카오위 **난뤄페이마오카오위(南锣肥猫烤鱼)** 344
: 강의 생명력이 살아있는 펄떡이는 물고기들의 향연

⑩ 만두 **이쉬엔지아오즈관(一轩饺子馆)** 354
: 만두피 속 다양한 재료만큼이나 다채로운 만두 이야기

프롤로그

맛있는 것 먹으러 가자는 말에 입을 헤벌리지만, 어디 내놓을 만한 미식가는 아니다. 십여 년 중국을 제법 드나들은 듯한데, 중화요리라고는 짜장면, 짬뽕, 탕수육 등 몇 가지를 떠올리다가 생각이 멈춘다. 그래도 주워들은 풍월이라고 대륙의 먹거리에 대해 제법 떠들기는 했다. 방송 일을 하다 보니 유학생이나 장사하는 사람만큼은 아니겠지만, 그래도 남들보다는 기회가 많았던 덕분이다. 원조 자장미엔도 먹어봤고, 한국에서 양꼬치가 유행하기 몇 년 전에 이미 맛도 들였다. 중국 만두와 한국 만두가 어떻게 다른지, 잘 구운 북경 오리는 어떤 빛깔인지, 콜라와 맥도날드를 중국인들은 뭐라고 부르는지를 가지고 술자리에서 떠들어대며 아는 척을 하곤 했다.

하지만 달랐다. 1년여를 살아본 북경의 식탁은 스치듯 다녔던 중국과는 많이 달랐다. 정해진 섭외에 맞춰 촬영을 하다가 급하게 렌터카를 타고 통역과 함께 다닌 식당들과 지하철, 버스를 갈아타며 나홀로 자전거를 타고 찾아다닌 북경의 식당은 무척이나

달랐다. 낡은 골목으로 들어가도 식탁 위에 펼쳐지는 갖가지 중
국요리에 눈이 호강하는 경우가 허다했다. 먹거리에 얽힌 사연은
살아있는 중국이었다. 동행이 풀어주는 뒷얘기는 중국을 공부하
는 시간이었다. 메뉴판의 중국어가 눈에 익으면서 요리의 뜻풀이
를 하는 재미도 있었다. 그러던 어느 날 문득 요리이름에 지역명
이 많이 등장한다는 생각이 스쳤다. 식당의 이름이나 요리와 관
계없는 한자가 나오면 어김없이 중국 지역의 명칭이었다. 쓰촨
성 어디쯤 있는 산, 충칭을 감아도는 강, 항저우의 절경이라는 호
수, 윈난의 차마고도를 담은 오래된 마을 이름이 식탁의 풍요를
더했다. 무심코 스쳐가던 지명들은 드넓은 대륙 전역을 가리키고
있었다.

식탁 위에서 대륙의 넓이를 따져 봤다. 동서로 5,200km, 남북
으로 5,500km이다. 서쪽으로는 신장과 티베트, 북쪽으로는 내몽
골과 헤이룽쟝(黑龙江: 흑룡강, 아무르강)이다. 동쪽이야 우리나 러
시아와 접하지만 남쪽으로는 또 저 멀리 윈난(云南: 운남)이다. 이

들이 한 점도 내줄 수 없다고 주장하는 남해는 또 멀리 있다. 비행기와 고속철이 있다고는 하지만 큰맘 먹어도 전부 훑어보기는 힘들다. 하지만 대안이 있다. 북경에 앉아서 대륙 곳곳을 누빌 수 있다. 실크로드의 서쪽 끝에서부터 남방 묘족이 사는 꾸이저우성(贵州: 귀주성)까지도 다녀올 수 있다. 바로 먹거리 얘기다. 대륙의 모든 먹거리는 북경에 있다. 북경은 원나라 이후 명실상부한 대륙의 중심이었다. 사람과 물자는 모두 북경으로 향했다. 마찬가지로 13억 중국인의 모든 먹거리도 북경으로 집중된다. 그러니 식당만 잘 찾아다녀도, 앉아서 23개의 성과 4개 직할시, 5개의 자치구를 유람할 수 있다.

중국 친구가 중국 츠훠디투(中国吃货地图)라는 사진을 보여줬다. 대륙 각지의 유명한 지방 음식들이 표시된 지도다. '츠훠(吃货)'는 예전에는 '식충이'쯤 되는 말로 안 좋은 의미로 쓰였는데, 요즘엔 먹방의 유행과 함께 '먹을 것을 좋아하는 사람' 정도의 의미로 많이 쓰는 단어다. 북경에 1년간 체류하면서 얻은 낙은 이방인 츠훠가 되어 식탁 위의 대륙을 여행하는 것이었다.

북경에는 중국 각 성의 빤식추(办事处: 판사처)가 있다. 우리로 치면 지방 도청의 서울 사무소쯤 된다. 각 판사처가 있는 빌딩에는 대게 그 지역의 음식을 전문으로 하는 식당이 있다. 찾기가 번거롭다면 굳이 판사처까지 갈 필요도 없다. 먼 걸음을 하지 않아도 될 정도로 동네에 워낙 지방 음식점이 흔하기도 하다. 신장의 양꼬치와 충칭 훠궈(火锅)는 북경에서 간판이 가장 많이 보이는 식당 중 하나이다. 길 가다가 그 지방이나 소수 민족의 전통 복장을 입은 종업원들이 바삐 오가는 식당도 쉽게 찾아볼 수 있다. 윈난, 티베트, 동북, 구이저우 이런 식으로 식당 앞에 지역 명을 많이 붙인다.

땅덩어리가 워낙 넓으니 먹거리가 많을 수밖에 없다. 4대 요리, 8대 요리, 6대 국수… 이런 식으로 나누는 것도 좋아한다. 보통 광동 요리, 상해 요리, 북경 요리, 쓰촨 요리를 크게 꼽는다. 먹거리에 빠지지 않는 산동이나 후난 사람들이 들으면 섭섭하겠지만 이방인에게는 대략 이런 기준이 통용되는 듯하다. 사실 북경 요리라고는 하지만 산동 요리에 북방 이민족의 풍미가 가미된 것이라고 들었다. 중국 친구들과 동행하면서 각 지방 요리에 대한 특색과 얽혀있는 이야기를 덤으로 들을 수도 있었다.

광동 요리는 위에차이(粤菜)라고도 부른다. 위에(粤)는 춘추전국 시대 남방에서 패권을 잡았던 월나라이다. 오월동주(吳越同舟)라는 사자성어를 알고 있다면, 복수심에 불타던 그 월나라가 맞다. 워낙 물자가 풍부한 곳이 남방이다. 식재료도 마찬가지다. 해산물도 넘쳐난다. 신선한 재료에 간을 싱겁게 해 먹는 것이 특징이라고 하는데, 그래서인가 맑은 육수에 담백한 국수도 많다. 홍콩의 유명한 음식들도 대게 광동 요리라고 보면 된다. 딤섬이 대표적이다.

사천 요리는 촨차이(川菜)라고 한다. 중국 생활을 어지간히 한 사람이라면 촨(川)이라는 글자만 봐도 맵다. 화지아오(花椒)라는 향신료를 쓰는데, 혀가 얼얼해지는 매운맛이 난다. 우리가 얼큰하고 똑 쏘는 매운맛이라면, 쓰촨의 매운맛은 혀를 마비시키는 통증이다. 먹으면 속 깊은 곳부터 화끈거린다. 휘궈의 벌건 국물이 대표적이다. 마라(麻辣)라고 쓴다. 마라탕, 마라샹궈에 한번 중독되어 그 매운맛을 찾게 되면 중국 생활에 적응한 셈이 된다. 마파두부(麻婆豆腐), 위샹로우쓰(鱼香肉丝) 등이 우리에게도 많이 알려진 쓰촨 음식이다. 휘궈가 워낙 중국을 휩쓸고 있어, 북경 시내에서 가장 많이 볼 수 있는 식당이 쓰촨이나 충칭 휘궈 식당이다.

상해 요리도 있다. 상해 요리라고는 하지만 상해 인근 요리를 포괄한다. 중국 제일의 미식도시라는 항저우와 쑤저우는 물론 난징을 비롯한 지역의 음식을 모두 상해 요리 전문점에서 맛볼 수 있다. 광동 요리와 마찬가지로 해산물을 많이 쓰는데, 특히 상해의 게 요리는 비싼 가격에도 불구하고 제철이 되면 줄을 서서 먹는다. 샤오롱빠오(小笼包: 소룡포)라는 만두의 가득 찬 육즙은 한번 맛보면 절대 잊을 수가 없다. 중국의 유명 시인이었던 소동파가 즐겨 먹어서 이름도 똥포어로우(东坡肉: 동파육)라는 돼지 삼겹찜도 빼놓을 수 없다.

북경 요리도 보통 4대 요리로 분류한다. 산동 요리가 기본인데 북방 여러 민족의 맛이 더해졌다고 한다. 명나라와 청나라 두 왕조의 수도였기 때문에 궁중 요리도 발달했다. 청나라가 망한 후, 궁중의 요리사들이 민간에서 식당을 열면서 많이 알려졌다. 청나라를 세운 만주족이 한족과의 화합을 위해 먹었다는 만한전석이 궁중 요리의 대표 주자다. 북경에 오면 한 번쯤은 들르게 되는 베이징 카오야(北京烤鴨: 북경 오리구이) 식당을 비롯, 우리 짜장면과 늘 비교당하는 자장미엔(炸醬面) 식당이 시내 곳곳에 있다.

밀가루 면발이 거기서 거기일 것 같은 국수도 6대니 10대니 하며 다툴 정도로 종류가 많다. KBS 다큐멘터리 〈누들로드〉가 인류 최초의 국수를 찾아 첫 촬영을 한 곳도 중국 산시성 화염산이었다. 그 산시성의 다오샤오미엔(刀削面: 도삭면)은 네모나게 각이 진 넓적한 칼로 대패처럼 면을 잘라내기로 유명한 국수다. 걸쭉하고 매콤한 양념에 돼지고기를 볶아 올린 딴딴미엔(担担面: 단단면)은 행상들이 어깨에 짊어메고 다니며 팔았던 국수여서 짊어진다는 뜻의 '딴(担)'이 요리 이름이 됐다. 란저우 라미엔(拉面)은 국수를 손으로 잡아 늘여서 잡아당긴다는 뜻의 '라(拉)'를 썼다. 우리 라면과 착각하면 안 된다. 허난의 후이미엔은 걸쭉하게 끓이는 조리법에서, 우한의 러간미엔은 초벌로 익힌 국수를 식혀서 양념을 얹어 먹는 조리법에서 이름이 유래했다. 북경의 자장미엔도 중국식 장과 야채를 골고루 얹어서 먹는 면이라는 뜻이다.

뭐 그렇다고 4대 요리, 6대 국수라는 기준도 모호한 분류에 얽매일 필요는 없다. 취향에 따라 골라 먹으면 그뿐이다. 같은 이름을 가진 음식이 지역에 따라 어떻게 변하는지 보는 재미를 추구해도 좋다. 훠궈가 그렇다. 맑은 바이탕(白汤: 백탕)과 벌건 마라탕을 반반씩 시켜놓고 고기와 해산물을 데쳐 먹는 음식이라고 알고 있지만, 유래에 대한 해석은 지방마다 제각각이다. 북방의 유목민족이 쓰고 다니던 투구에 물을 끓여 양고기를 데쳐 먹었다는 얘기도 그럴듯하고, 남방의 어부들이 손질하고 남아 버리던 생선 내장을 양념을 강하게 한 국물에 데쳐 먹었다는 유래도 그럴듯하다. 슈안양로우(涮羊肉)라고 쓰인 훠궈집을 가면 마라탕은 없고 맑은 탕만 있는 반면, 충칭 훠궈라는 간판을 보고 들어가면 그날은 속에서 활활 타오를 불길을 감수해야 한다. 남쪽 끝자락 구이저우성의 묘족은 토마토를 발효시킨 시큼한 국물에 물고기를 넣어 먹는 쏸위탕(酸鱼汤)을 훠궈로 먹는다. 양꼬치도 동북의 양꼬치와 신장의 양꼬치는 같은 듯 서로 다르다. 조금 더 두툼하게 썰어 길쭉한 쇠스랑에 꽂아 내오는 신장 위구르 식당에 가서 난을 곁들여 먹는 것을 양꼬치의 원조로 꼽는 사람이 있는가 하면, 몽골의 양을 으뜸으로 치는 사람도 있다. 종류가 수백에서 수천 가지라는 딤섬 앞에서는 무엇을 먹어야 하나 잠깐 넋을 놓게 된다.

이 많은 요리를 담다 보니 식당의 메뉴판은 잡지를 보는 것처럼 두툼하다. 넘겨가며 보는 데만도 시간이 한참 걸리는 게 보통이다. 찐딩쉬엔(金鼎轩)이라는 유명 딤섬 식당은 메뉴판만 4종류다. 딤섬, 광동 요리, 계절 추천요리, 차와 음료 메뉴판이 모두 따로 있다. 약간 고급스러운 식당에 가면 현지의 식재료와 조리하는 사진이 메뉴 옆에 붙어있는 경우도 있다. 메뉴인지 책인지 모를 사진을 보느라 주문하고 기다리는 시간이 전혀 지루하지 않았다.

1년을 중국에 체류했지만 게으름 탓에 결국 신장과 티베트는 가보지 못했다. 내몽골 초원의 별이 눈앞까지 쏟아진다는 밤하늘도, 윈난의 구불구불한 산길을 따라 걸어야 하는 차마고도의 옛 흔적도 마찬가지로 찾아다니지 못했다. 막상 낯선 땅에서 이 방인의 일상을 살자니 만리장성과 자금성 한번 보는 것도 혁혁대는 일이었다. 그래서 선택한 차선책이 각 지역의 대표 음식을 맛보는 것이었다. 미식가도 아니고 주머니도 가벼웠지만 거르지 않고 열심히 찾아다녔다. 중국 친구를 동행으로 삼아 메뉴판을 붙들고 귀찮게 물어보는 게 나름의 중국어 공부였다. 그렇게 한 달 두 달 지나다 보니 식탁 위에서 대륙을 여행하는 맛도 나쁘지 않았다. 처음 먹을 때는 음식 자체를 먹었고, 두세 번 반복해서 먹을 때는 얽힌 이야기를 함께 맛봤다. 왜 마오쩌둥이 매운 음식을 먹어보지 않은 사람은 혁명을 할 수 없다고 했는지, 휘궈와 신선로, 샤부샤부는 뭐가 다르고 누가 먼저인지, 남방 사람들은 왜 시큼한 음식을 먹어야 하는지 끊임없이 귀동냥해가며 식탁 위를 떠돌았다. 돌이켜보면 따로 차비도 들지 않았고, 짐을 꾸려야 하는 번거로움도 없는 좋은 여행이었다.

그렇게 식탁 위를 여행하며 틈틈이 정리한 것이 제법 모였다. 중국 음식에 대해 어느 정도 알고, 어느 정도 관심이 있는 이들과 공유해도 되겠다 싶은 판단이 들었다. 물론 민망함과 두려움이 없는 것은 아니다. 관중규표(管中窺豹)라는 성어가 있다. 대롱으로 표범을 본다는 뜻이다. 표범 전체를 보지 못하고 얼룩덜룩 반점만 보는 좁은 식견을 빗댄 말이다. 미숙한 글과 얕은 지식을 남들에게 보인다는 것에 망설임이 많았다. 특히 한국에는 내로라하는 중화요리의 고수들이 많다. 짧은 경험과 부족한 지식에 망설임의 시간이 많았다. 그럼에도 세상에 내놓는 것은 북경행을 코앞에 두고 서점을 뒤지던 기억 때문이다. 홍콩과 대만의 미식에 관한 책은 수북했는데, 정작 북경의 식탁을 안내하는 책은 찾을 수가 없었다. 혹여라도 부족한 이 책이 누군가에게 길잡이로서의 역할을 할 수 있다면 만족한다.

KBS가 1년의 기회를 허락해줬다. 이름을 열거하는 것이 무의미할 정도로 많은 선후배, 동료들의 은혜를 입었다. 현지에서 맺은 인연들은 중국을 배우고 글을 쓰는 데 큰 보탬이 됐다. 고맙게도 정법대학교 구효영 박사와 금창정 석사가 오랜 체류 경험을 바탕으로 내용에 오류가 있는지 꼼꼼히 챙겨줬다. 중국 현지인들의 반응은 강유경 작가가 정리해 써준 내용을 실었다. 방송으로 인연을 맺은 유경 작가는 중국어에 능통하다. 자료를 뒤져가며 사진 하나하나까지 꼼꼼히 챙겨줬다. 중국 전매대학교의 곽단양 교수는 책의 본문에 자주 나오는 동행이라는 단어의 주인공이다. 절반 이상의 북경 식탁을 안내하고 얽힌 이야기를 풀어준 고마운 중국 친구다. 곽교수가 없었으면 애당초 불가능한 여정이었다. 거친 글을 다듬어 읽을 만한 책으로 만들어 준 비단숲 편집자들께도 감사드린다. 저자와 끊임없이 소통하려는 한석준, 윤군

석, 정숙경 세 분이다.

　양가 부모님은 언제나 그렇듯 든든한 뒷배가 되어 주셨다. 동생 작가는 항상 출판의 기회를 알아봐 준다. 무엇보다 남편과 아빠의 부재를 1년이나 참고 견뎌준 아내와 이서, 이재 두 딸에게 너무도 큰 빚을 졌다. 돌아와 딸들과 뒹굴뒹굴하며 잠들 수 있는 밤이 너무 좋기만 하다. 세상 그 무엇보다도 아빠가 잘할게. 다음 주말에 맛있는 짜장면 먹으러 가자. 마지막으로 이 부족한 책과 관련, 한 톨이라도 엮여 있는 모든 분께 거듭, 머리 숙여 감사드린다.

Part. **1**

대륙을 품은
북경 식탁

粗糧人家
cūliángrénjiā

한 그릇 가득 채운
북방 서민들의 식탁

추량런지아
동북 요리

粗粮人家
cūliángrénjiā

⇒ 거친 땅의 친근한 맛 ⇐

한국인에게 가장 익숙한 중국의 지역은 단연 뚱베이(东北, 동
북)다. 우리에겐 흔히 만주, 간도라는 이름으로 익숙한 중국의 동
북은 랴오닝성, 지린성, 헤이룽장성 3개의 성으로 이뤄져 있다.
그 크기는 78만 7천㎢, 한국의 8배가 넘으며 인구도 1억 이상
이다. 만주의 동쪽 끝자락에는 옌볜(延边, 연변) 조선족 자치주
가 있다. 우리말을 쓰는 인구가 많을 때는 200만이 넘었다. 대게
는 일제 강점기에 국경을 넘은 우리 할아버지 할머니들의 후손
이다. 먹고 살기 위해 강을 건넜고, 나라를 되찾기 위해 산을 넘
었다. 자치주의 수도인 옌지(延吉, 연길) 거리에는 한글 간판이 즐
비하다. 그 간판 밑에 서면 이곳이 우리 땅인지 중국 땅인지 헷갈
릴 때가 종종 있다. 중국어 한마디 못하면서도 옌지 중심가를 별
어려움 없이 찾아다녔던 기억이 난다.

우리 민족만의 얘기는 아니다. 동북은 오랫동안 중원의 질서 밖에 있는 별도의 땅이었다. 굳이 고구려, 발해를 들먹이지 않더라도, 이 넓은 대지는 거란족, 여진족, 만주족이 각기 그들의 나라를 세우고 힘을 자랑하던 터전이다. 그 힘이 넘쳐 근질거릴 때, 그들은 만리장성을 넘었다. 찬바람 부는 척박한 동북의 입장에서 보면 중원은 풍요의 땅이었다. 차례대로 장성을 넘어 남하했고, 중국 전역을 그들의 손아귀에 넣었다. 하지만 중국인들은 녹록지 않았다. 동북을 호령했던 그들은 정확히 그 순서대로 역사에서 사라져 갔다. 지금은 마지막 주인이었던 만주족만 찾아보기 힘들 정도로 희미하게 남아있을 뿐이다. 만주어를 하는 사람은 손에 꼽을 정도로 만주족 역시 급격히 소멸의 길을 걷고 있다. 근대 이후 동북은 사회주의 신중국의 버팀목이 되어 한족을 먹여 살리는 땅으로 탈바꿈했다. 그것은 바로 풍부한 지하자원 때문이다. 공산당은 이곳을 중공업 기지로 육성했다. 한때 중국에서 생산하는 철강의 2/3를 동북이 책임졌으며 다칭의 석유는 중국 산업의 젖줄이 됐다. 다칭 유전은 중국에서는 제일 크고, 세계에서도 네 번째 규모를 자랑한다. 겨울이 길고 북풍이 부는 황량한 땅이어서 그런지 발달한 산업의 느낌도 거칠다.

동북 요리라면 만주를 호령하던 이들 민족의 흔적이 남아있을 법도 하지만, 만주 요리를 제외하면 거란, 여진, 숙신, 말갈 등 익숙한 종족의 이름을 찾기는 힘들다. 다만, 그 호방한 기운은 남아있다. 중국인들에게 동북 요리는 양이 많고 강한 맛으로 유

1. 인테리어는 중국 농촌의 옛스러움이 묻어난다. 오래된 신문으로 벽을 도배했다.
2. 이제는 시골에서도 보기 힘든 괘종시계를 걸어 둔 것도 보인다.

1. 종업원들의 복장도 향수를 불러일으킨다.
2. 로비에서 사진을 보고 주문한다. 주방이 개방되어 있어 보면서 탕과 고기를 고를 수도 있다.

명하다. 같은 메뉴를 시켜도 담아오는 그릇의 크기부터 차이가
난다. 압록강을 거슬러 백두산 천지까지 가는 여행을 한 적이 있
었다. 사정상 동행이 없을 때는 혼자서 시골의 식당에 앉아 밥을
시켰다. 달랑 하나만 주문하기 뭐해 요리 하나라도 더 시키면 어
김없이 거의 절반 이상을 남겼다. 일단 수북하게 쌓아준다. 선입
견이겠지만 동북의 식당들은 다른 곳보다 좀 더 시끌벅적한 느낌
도 있다. 우스갯소리로 동북 남성은 장군감이고, 동북 여성은 남
자를 휘어잡을 것 같은 드센 기운으로 유명하다고들 한다.

⟩ 시골 고향에 대한 향수 ⟨

추량런지아(粗粮人家)라는 동북요리 전문 식당을 찾았다. 추량
(粗粮)은 잡곡을 말한다. 추(粗)는 '굵다, 거칠다'는 뜻이다. 뒤에
곡식을 나타내는 량(粮)을 쓰면 보리, 옥수수, 수수 같은 잡곡의
의미가 된다. 쌀이 부족해 잡곡을 먹던 어려운 시절의 향수가 컨
셉인 식당이다. 식당에 들어서면 바로 중국 시골집에 발을 디딘
듯하다. 벽은 옛날 신문으로 도배를 했고, 우리 시골에서도 이제
는 보기 힘든 괘종시계를 군데군데 걸어 두었다. 한쪽 옆으로는
마늘과 양파 꾸러미가 주렁주렁 걸려있다. 식탁도 옛날 중국 시
골에서 사용했을 것 같이 시멘트로 만들어 투박하다. 종업원들은
6,70년대 인민복을 입었거나 울긋불긋 화려한 무늬의 옷을 입고

있다. 중국인 동행에게 물어보니 어릴 적 시골에서 자주 입던 옷
이라고 한다. 따로 메뉴판 없이 식당 입구에 음식 사진이 수십 개
붙어 있다. 그 사진을 보면서 주문하면 된다. 고기와 탕 요리는
주방 한쪽을 보면서 직접 고를 수 있게 해뒀다.

⟩ 한 그릇만으로도 푸짐한 ⟨

　중국 식당에 가면 항상 주문하게 되는 동북 요리가 있다. 바
로 꿔바로우(锅包肉)다. 한국에서 우리도 즐겨 먹는데, 찹쌀 탕수
육으로 많이 알고 있다. 고기를 얇고 넓게 썰어서 찹쌀이나 전분
을 묻혀 튀겨낸다. 쫀득쫀득하게 씹히는 질감과 새콤달콤한 소
스가 일품이다. 우리식 탕수육을 중국에서는 찾아볼 수가 없는
데, 꿔바로우가 그 맛에 가까운 편이다. 이름의 유래가 궁금해 자
료를 찾아보니 꿔바(锅巴)는 누룽지라는 뜻이다. 고기를 얇게 썰
어낸 모양이 누룽지 같아서 꿔바로우(锅巴肉)라고 했다는 설명이
있다. 그런데 한자가 다르다. 중국 포털사이트인 바이두(百度)에
서 검색을 위해 '锅巴肉'를 입력하니 자동적으로 '锅包肉'로 한자
가 바뀐다. 청나라 때 하얼빈에서 시작된 동북 요리라고 설명해
놨다. 뜨거운 솥에서 요리하기 때문에, 폭발한다는 뜻의 바오(爆)
를 써서 '锅爆肉'라고 했다가, 음이 똑같은 '바오(包)'로 바뀌었다
고 한다. 바이두가 정확하겠지만 누룽지 설도 그럴 듯하다. 다수

쫀득쫀득하게 씹히는 질감과 새콤달콤한 소스가 일품인 꿔바로우

설과 소수설쯤으로 해두자. 맛에는 아무런 영향이 없다. 동북 요리답게 양이 많다. 둘이 갔는데 꿔바로우에 밥만 시켜 먹어도 든든할 정도다.

현지인들도 이 식당에 갈 때는 절대 혼자 가지 말라고 조언한다. 우리가 모임이나 회식 때 가성비 좋은 음식점을 고르듯, 추량런지아가 바로 그런 곳이다. 저녁 7시가 되면 손님들이 직접 선곡도 할 수 있다. 음식 주문하기에도 벅찬 시간에 누가 음악 주문까지 할까 싶지만, 생각보다 호응이 좋은 서비스다. 유난히 시끌벅적하게 느껴졌던 이유가 이 때문이었는지도 모른다.

식당에 함께 동행한 이가 동북 사람이었다. 그녀는 창춘(长春,

장춘)에서 나고 자라 대학은 지린(吉林, 길림)에서 다녔다. 서울대
학교에서 석사 과정에 있을 때도 너무 먹고 싶었던 음식이었다
며 찌엔찌아오깐또우푸(尖椒干豆腐)를 주문했다. 찌엔찌아오(尖
椒)는 고추다. 찌엔(尖)은 '날카롭다'는 뜻이고 찌아오(椒)는 고추
나 산초를 의미한다. 두부껍질 말린 것에 고추를 넣고 간장을 기
본으로 볶은 요리다. 한국에서 너무 먹고 싶어 대림동까지 간 적
이 있다고 했다. 대림동은 조선족들이 정착한 곳이라 중국 동북
의 음식이 많다. 고향인 지린에서는 2천원도 안하는 음식인데 한
국에선 한 접시에 만원을 넘게 주고 사먹었다며 웃는다. 소울푸
드였으니, 소울에 대한 값을 치른 셈이다.

파이구또우지아오짠쥐엔즈(排骨豆角粘卷子)는 그대로 직역해
보면 어떤 음식인지 알 수 있다. 파이구(排骨)는 '갈비, 주로 돼지
갈비'를 말한다. 또우지아오(豆角)는 '연한 콩줄기'라는 뜻이다.
쥐엔(卷)은 '말다, 감다'라는 뜻인데, 쥐엔즈(卷子)는 반죽한 밀가
루에 기름, 소금, 산초가루, 깨 등을 넣고 둘둘 말아 찐 음식이다.
사전에는 말이나 롤로 나와 있다. 실제 나오는 모양은 반죽을 길
게 떼어낸 수제비 같기도 하고, 좀 두꺼운 떡볶이떡 비슷하기도
하다. 이들 재료를 주전자 모양의 냄비에 넣고 양념을 해 졸여
냈다. 모습은 돼지갈비찜과 닮았다. 달착지근하고 짭짤한 것이
우리 입맛에 잘 맞는다.

동북 음식점이니 디싼시엔(地三鮮)도 빼놓을 수 없다. 동북의
대표적인 가정식 밥반찬이다. 한자를 보면 땅에서 나는 세 가지

1. 찌엔찌아오깐또우푸
2. 파이구또우지아오짠쥐엔즈.
3. 디싼시엔

신선한 재료라는 뜻을 담고 있다. 보통 가지, 감자, 고추 또는 피망을 사용한다. 각각 재료를 기름에 볶은 후, 전분을 넣고 간장과 굴소스 등을 곁들여 조리한다. 걸쭉하고 쫀득하게 얽혀 특유의 맛을 만들어낸다. 특히 가지가 맛있다. 우리는 가지를 많이 먹는 편이 아니지만, 중국 사람들은 가지를 참 좋아한다. 가지를 이용하는 요리 방법도 많고 맛도 좋다. 한국인에게 가장 실패 확률이 적은 요리 중의 하나다.

주식으로는 지우차이흐어즈(韭菜盒子)와 찌엔짠또우바오(煎粘豆包)를 시켰다. 지우차이(韭菜)는 부추다. 흐어즈(盒子)는 '상자'를 뜻하는데, 지우차이흐어즈는 우리로 치면 부추와 달걀을 넣은 전병으로 생각하면 맞을 듯싶다. 또우바오(豆包)는 팥소를 넣은 찐빵이다. 크지 않고, 빵이라고 하기엔 민망한 두께다. 진달래 얹은 화전만 하다. 안에 소가 들었고 위에는 설탕을 잔뜩 뿌려놨다. 기름과 설탕 맛 밖에 안 나는데 한 개 정도 집어먹을 만했다.

둘이 가서 적게 시킨다고 했는데도, 호기심에 고르다 보니 상이 한 가득이다. 동북 음식점이라는 사실을 알고도 자초한 일이다. 양이 다른 식당의 1.5배 수준이다. 밥은 주문할 엄두도 못냈는데 반도 못 먹었다. 이럴 때는 무조건 다빠오(打包, 포장)다. 식당을 나서는데 싸서 나온 음식이 묵직하다. 작은 비닐 박스 6개에 나눠 담았다. 계산서를 보니 비닐 박스 하나에 1위안(170원)씩 값을 받았다. 보통 식당에서 포장 용기는 무료로 주는데라고 생각했지만, 따지지는 않았다. 워낙 싸가는 사람이 많아서 그런가 보다.

1. 지우차이흐어즈
2. 찌엔짠또우바오

⟩ 옛 추억이 물씬 ⟨

과거를 테마로 한 식당이어서 그런지 곳곳에 개혁개방 이전인 붉은 중국의 흔적이 많다. 접시에는 사회주의 시절의 포스터 그림이 새겨져 있다. 휴지통도 그림과 구호로 덮여 있다. 뭐가 쓰여 있나 읽어 보니, 런싀티에판싀깡(人是铁饭是钢). "사람이 무쇠라면, 밥은 철강이다"라는 당시의 구호다. 먹을 것이 부족하던 시절, 밥을 잘 챙겨먹기 위해서 생산력을 늘려야 한다는 절실함이 담긴 구호다. 마오쩌둥 어록을 손에 쥔 건강한 공장 노동자, 농부, 학생이 그림의 배경이다. 식당 명함에는 "扎根农村 - 志不移"라고 쓰여있다. 쟈껀(扎根)은 '뿌리를 내린다'는 뜻인데, '농촌을 잊지 않으면 초심을 지킬 수 있다'쯤으로 의역할 수 있다. 지금 동북은 몸살을 앓고 있다. 개혁개방 이후 중공업에 의지하던 동북의 경제적 몰락은 중국에서도 중요한 정책 이슈다. 대부분 국유기업이었기 때문에 덩치는 크고 효율은 낮았다. 자연히 경쟁에서 뒤처져 갔다. 지역 별로 경제 성장률 지표가 발표되는 날에는 동북 3성이 뒤에서 1, 2등을 도맡아 했다. 동북 사람들은 앞다투어 낙후해가는 고향을 떠나 벌이가 좋은 대도시로 향했다. 조선족의 한국행 러쉬도 크게 보면 이러한 흐름의 일부분이다. 젊은 사람들이 모두 떠난 시골에 덩그러니 남은 노인과 아이들의 모습은 우리 6, 70년대와 많이 닮았다. 추량런지아는 그렇게 도시로 떠나온 동북 사람들이 옛 기억을 더듬어가며 술 한잔 곁들이

1. 내부의 모습은 떠나온 시골 고향의 모습을 떠오르게 한다.
2.3. 식기와 휴지곽에는 그 시절 사회주의풍의 구호와 그림이 새겨져 있다.

는 식당이다. 가격도 저렴하다. 동북 음식은 중국에서도 서민 음
식으로 알려져 있다. 화려한 중국요리와는 보는 맛도 먹는 맛도
분명 차이가 있다. 그 척박한 땅과 거친 바람의 정서를 이방인이
어찌 알 수 있을까 싶지만, 비교적 우리에게 친숙한 맛을 즐기는
것으로 만족하기에도 충분히 괜찮은 식당이다.

🕐 **가는길**

북경에 6곳의 지점이 있다고 나온다. 한국인이 찾아가기 쉬운 곳은 똥쯔먼(东直门) 지점이다. 똥쯔먼은 지하철 2호선과 13호선, 공항철도가 교차하는 교통의 요지다. 지하철 역에서 나와 '귀신거리'로 알려진 방향으로 걷다 보면 식당이 즐비한 먹자골목이 나오는데 그 초입에 있다. 한국인들이 흔히 '귀신거리'로 부르는 곳의 원래 이름은 꾸이지에(簋街)다. 꾸이(簋)는 음식을 담는 그릇을 말하는 옛말이다. 발음이 귀신을 뜻하는 꾸이(鬼) 와 같아서 귀신거리라고 부른다고 한다. 홍등이 즐비하고 북경에서 밤늦게까지 시끌벅적하게 먹거리를 즐길 수 있는 몇 안 되는 곳이다.

📍 **주소**

北京市 东城区 东直门内大街5-5号

📞 **전화번호**

010-64051808

🍱 **예산**

비슷한 메뉴와 규모를 갖춘 다른 식당에 비해 약간 싼 편이다. 두 명 기준 150위안(25,500원)이면 마음껏 먹을 수 있다. 꿔바로우가 42위안(6,300원), 찌엔찌아오간또우푸가 28위안(4,760원), 파이구또우지아오짠쥐엔즈가 49위안(8,330원)이다. 주식인 밥과 빵, 면 요리는 모두 20위안(3,400원)을 넘지 않는다.

箩箩酸汤鱼
luóluósuāntāngyú

습한 날씨를 견뎌내는
시큼한 식탁

꾸이저우요리
뤄뤄 쏸 탕 위

笋笋酸汤鱼
luóluósuāntāngyú

서울에서도 남도 음식은 호남 사람과 동행해야 제맛이다. 왁자지껄한 사투리로 가득 찬 밥집에 앉아야 진짜배기다. 묵은 김치 한 점을 집어도 구수한 입담이 섞여야 제맛이다. 북경이라고 다르지 않다. 중원 각지의 사람과 음식이 모인다. 저마다 지역 특유의 맛을 내세우는 식당이 많다. 그래도 그 지역 출신이 이끌어 주는 식당이 기억에 남는다. 뤄뤄쏸탕위(笋笋酸汤鱼)가 그런 집이다. 꾸이저우성(贵州, 귀주성)에서 나고 자라, 그곳에서 직장도 오래 다닌 중국인이 알려줬다. 중국 꾸이저우에서는 풍년이 들때면 항상 대나무로 만든 광주리를 사용해서 남은 곡물을 담는다고 한다. 광주리가 풍작을 의미한다고 믿는다. 좋은 것을 남기고 안 좋은 것을 가져간다고도 해석한다. 뤄(笋)에는 광주리라는 뜻이 있다. 식당을 만든 사람의 성도 뤄(笋)이고, 동생하고 같이 만든 식당이라서 뤄뤄(笭笭)라는 이름을 붙였다고 한다. 입구 간판부터 꾸이저우 두 글자가 큼지막하다.

꾸이저우성은 중국 남부에 있다. 윈난성 옆이다. 윈난도 소수민족의 땅이지만 꾸이저우도 마찬가지다. 중국 56개 민족 중 49개 소수 민족이 꾸이저우에 산다. 특히 묘족은 절반이 이곳에 뿌리를 두고 있다. 중국에서도 손꼽는 청정 자연을 자랑하는 이곳은 해발고도가 평균 1,000미터다. 기암괴석으로 가득 찬 산과 폭포가 흔하다. 구불구불한 산을 감아 흐르는 강이 보기에는 좋지만 농사를 짓기에는 영 아니다. '天無三日晴 地無三里平 人無三分銀'이라는 말로 유명한데, 맑은 날이 3일을 가지 못하고, 평평한 땅이 3리 이상을 뻗지 못하고, 거주하는 사람은 3푼의 돈이 없다는 뜻이다. 하지만 꾸이저우 사람들은 이 말을 싫어한다. 오히려 천혜의 자연 풍광이 살아 있는 땅이라며 자부심을 가지고 있다. 어하튼 수천 년 중국 역사에서 오랫동안 변방으로 불린 곳이다. 최근에야 관광객이 조금씩 몰려들고 있다. 개발이 더디다 보니 아직 옛 풍습이 많이 남아 있다.

≳ 시큼한 매운탕의 묘미 ≲

음식은 날씨와 맞닿아 있을 때가 많다. 꾸이저우 음식도 마찬가지다. 꾸이저우의 기후는 습도가 높다. 산지에 해가 없으면 습하고 으슬으슬 추운 날이 많다. 꾸이저우 사람들은 시큼한 음식을 먹으며 몸을 달랬다. 사흘 동안 신 것을 먹지 않으면 다리가 풀린다고 스스로들 이야기한다. 생선을 넣은 시큼한 매운탕을 즐겨 먹는데 쏸탕위(酸汤鱼)라고 부르는 묘족의 대표 요리다. 단어의 뜻 그대로 쏸(酸, 시큼한), 탕(汤)이다. 이 식당의 신맛은 토마토를 발효한 신맛이다. 잘 익은 토마토를 물에 깨끗이 씻은 후, 산에서 나는 각종 약초를 섞어 90일간 발효시킨다. 메뉴판에 커다한 항아리가 끝도 없이 늘어서 있는 사진이 인상적이다. 그 과정을 공장의 작업 과정 설명하듯 자세히 적어 났다. 묘족은 쏸탕(酸汤)을 만들 때 토마토를 주로 사용하는데, 만드는 방법은 우리가 예전에 집집마다 김치를 만들고 술을 빚는 방법이 달랐듯이 다양하다. 전통 방식을 이어받아 쏸탕을 만드는 묘족 출신의 인

메뉴판에 토마토를 발효하는 과정이 잘 소개되어 있다. 메뉴판에 체크해서 종업원에게 주면 된다.

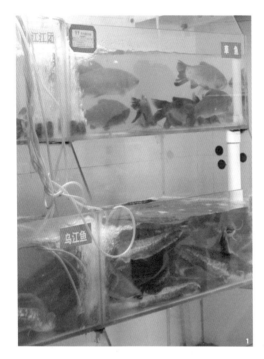

1. 주방 옆 수조에서 물고기를 고르면 바로 건져 테이블로 가져와 확인 한 후, 손질해서 가져다준다.
2. 쭌이우장위

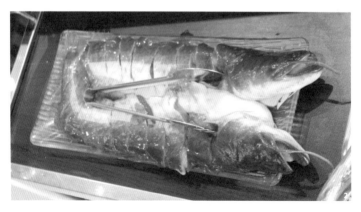

간문화재도 있다. 토마토 외에 빨간 고추, 생강 등을 원료로 사용하는데 반년을 발효시킨다고 하니 정성이 들어가는 음식인 것은 분명하다.

탕의 종류를 먼저 주문해야 하는데 신탕, 마라탕, 백탕 중에 골라야 한다. 마라탕과 백탕은 훠궈집의 탕과 같다. 마라는 혀가 얼얼한 매운맛, 백탕은 맑은 국물이다. 보통 반반씩 시키는데, 반드시 쏸탕(酸汤, 신탕)을 주문해야 한다. 쏸탕마라궈(酸汤麻辣锅, 신탕 반, 마라탕 반)로 골랐다. 그다음에는 물고기를 골라야 한다. 주방 앞의 수족관에 물고기가 많은데, 고르면 바로 건져와 손님 앞에 보여준다. 종업원에게 뭘 많이 먹냐고 물으니, 쭌이우쟝위(遵义乌江鱼)를 추천해 준다. 한자를 모두 알겠는데, 해석이 안 될 때는 지명인 경우가 많다. 쭌이(遵义)는 꾸이저우성 북쪽의 도시 이름이고, 우쟝(乌江) 역시 그 근방을 흐르는 강 이름이다. 무슨 생선인가 했더니 메기로 보이는 물고기였다. 근수로 계산해 한 근에 58위안이다. 중국의 한 근은 0.5킬로그램이다. 바로 떠와서 보여주는데 한 마리가 2.3근이다. 두세 명이 먹기에 충분한 크기였다. 좋다고 말하자 주방에서 바로 배를 갈라 내장을 꺼내고 손질해 다시 가져온다. 신탕에 반 마리, 마라탕에 반 마리를 넣어 먹는다. 쏸탕위는 우리로 치면 일종의 민물 매운탕과 비슷하다. 롱리위(龙利鱼)라는 물고기도 있다. 식감도 비슷하고, 두 종류 모두 가시가 거의 없다. 하지만 롱리위는 냉동된 것뿐이라고 한다. 현지인들도 당연히 신선한 우쟝위를 선호한다.

1. 꾸이저우쑤로우
2. 꾸이저우상창

물고기만 넣어 먹는 것이 아니라 고기나 채소도 넣어 먹는다. 꾸이저우쑤로우(貴州酥肉)를 주문했다. 수(酥)는 치즈나 젖을 발효시켜 만든 음식이라는 뜻 외에, 기름에 튀겨 바삭바삭하다는 뜻도 있다. 수로우(酥肉)는 후자다. 돼지고기에 전분을 묻혀 튀겨 낸다. 우리가 한국에서 즐겨 먹는 탕수육과 모양이 같다. 탕수육 생각이 나서 그냥 먹어도 되냐고 물어보니까 살짝 튀겼기 때문에 탕에 넣어 끓여 먹어야 한다고 답한다. 탕에 넣어 먹는 채소의 종류는 무척이나 많다. 훠궈집과 비슷하다. 헤이무얼(黑木耳, 목이버섯), 요우또우피(油豆皮, 두부껍질), 하오쯔간(蒿子秆, 쑥갓)을 듬뿍 넣었다. 중국 식당을 찾아다닌지 서너달이 넘어가니 이제 제법 채소 이름이 눈에 들어온다. 쑥갓의 이름이 재밌다. 하오쯔(蒿子)는 쑥을 뜻한다. 그 뒤에 줄기를 뜻하는 간(秆)이라는 한자를 붙이면 쑥갓이 된다. 우리가 목이라고 부르는 버섯은 중국도 나무 목(木)에 귀 이(耳)자를 사용한다. 어원이 중국인가 싶다. 비교 언어학이라는 학문이 있다고 들었는데, 한국어와 중국어의 구조를 분석하는 일이 흥미 있을 것 같다는 생각을 잠시 했다.

훠궈처럼 살짝 데쳐 먹는 것이 아니라 물고기가 익을 때까지 좀 기다려야 한다. 동행이 꾸이저우샹창(貴州香肠)을 추천한다. 음식 이름에 대부분 꾸이저우(貴州)가 붙는다. 창(肠)은 내장, 창자를 말한다. 샹창(香肠)은 소시지다. 얇게 자른 소시지를 한 접시 내온다. 맛은 약간 짭짜름하고, 씹는 맛은 과메기처럼 꾸덕꾸덕하다. 술안주로 제격이다. 탕이 끓기를 기다리며 집어 먹기에 딱 좋았다. 꾸이저우에서 많이 먹는데, 집집마다 햇볕에 소시지 말리는 풍경을 쉽게 볼 수 있다고 한다.

주식으로는 면도 있고 밥도 있다. 꾸이저우쩡황빠(贵州蒸黄粑)를 주문했다. 빠(粑)는 찹쌀가루를 섞어서 만든 경단 형태의 떡이라는 뜻이다. 찐 것과 기름에 살짝 지진 것 둘 중에 하나를 고르게 돼 있다. 역시 꾸이저우 특산이라고 한다. 소시지처럼 얇게 썰어서 내어주는데, 연유를 같이 준다. 약간 단맛이 있는데, 연유를 찍어 먹으니 달달한 것이 초코렛 같다. 연유를 보니 찐인만터우(金银馒头) 생각이 나서 내친김에 한 접시 주문했다. 찐인만터우는 꾸이저우 특산 요리는 아니고 어느 식당이나 많이 있는 밀가루 빵이다. 중국에서 만터우(馒头, 만두)는 우리와는 다르다. 속이 없는 밀가루 빵이다. 우리가 밥을 먹듯이, 만터우에 다른 반찬을 곁들여 먹는다. 찐인만터우는 밀가루 빵을 기름에 살짝 튀긴 것이다. 노란색과 하얀색 빵이 같이 나와서 찐인(金银, 금은)이라고 한다. 보통 연유를 듬뿍 찍어 먹는다. 맛 들이면 다이어트는 포기하는 것이 좋다.

탕이 끓기 시작했다. 생선살이 부서지기 전에 건져 먹어야 한다. 빛깔은 매운탕인데 국물이 걸쭉하고 시큼하면서도 단맛이

1. 꾸이저우쩡황빠
2. 찐인만터우

섞여 있다. 얼큰한 맛은 아니다. 진한 토마토소스 향이 난다. 한 순갈 두 숟갈 먹다보니 입에 착 붙는 묘한 맛이 있다. 먹다보면 몸에 온기가 오른다. 으스스하게 몸이 떨리는 날 제격이겠구나 라는 생각이 든다. 쏸탕위에 어울릴 만한 것이 하나 더 있다. 사실 꾸이저우는 술의 고장으로 유명하다. 중국의 국주로 꼽히면서, 세계 3대 증류주라는 마오타이주(茅台酒)가 바로 꾸이저우성에서 난다. 면세점에서도 한 병에 수십만 원인 값비싼 술이다. 워낙 가짜가 많아 시내에서는 살 엄두가 나지 않았다. 기회와 돈이 된다면 시큼한 꾸이저우 쏸탕위에 마오타이주 한 잔을 걸쳐보고 싶다. 그럴 날이 올지 모르겠다.

원앙새 모양으로 나뉜 솥에서 쏸탕과 마라탕이 끓고 있다. 쏸탕은 떠서 국물을 먹을 수도 있다. 시큼한 토마토 스프 맛이 먹을수록 중독된다.

笋笋酸汤鱼 luóluósuāntāngyú

가는길

현재는 리모델링 중인 한 곳을 포함해 북경에 총 5개 지점이 남아 있다. 확인해보니 내가 방문 했던 동쯔먼 지점이 사라진 듯하다. 아래 주소는 뤄뤄쏸탕위 왕징점이다. 이케아에서 북쪽으로 100미터 정도 떨어진 위치에 있다..

주소

北京市 朝阳区 阜通东大街甲1号 方舟苑南门

전화번호

010-64730970

예산

물고기가 조금 비싸다. 1인당 100위안(17,000원) 이상으로 생각하는 것이 편하다. 탕은 50위안(8,500원) 정도이다. 밥과 국수 같은 주식은 20위안(3,400원) 안팎이다. 소시지는 22위안(3,740원)이고, 탕에 넣어먹는 돼지고기 튀김도 22위안(3,740원)이다. 생선을 비싼 것을 고르면 나중에 계산할 때 억 소리가 나올지도 모른다.

金鼎轩
jīndǐngxuān

24시간 북경을 평정한
광동식 딤섬이 가득한 식탁

찐딩쉬엔

광동 요리 (딤섬)

金鼎轩
jīndǐngxuān

⟩ 딤섬으로 맛보는 남방의 풍요 ⟨

요리 프로가 대세다. 먹방이라는 말이 익숙하다. 맛있는 TV를 표
방한 케이블 채널이 별도로 생겼고, KBS는 〈누들로드〉에 이은
요리인류 시리즈를 언이어 제작해 호평을 받았다. 단순히 맛집을
소개하고 찾아다니는 데서 진화해 음식에 얽힌 역사와 인문학적
인 이야기까지 깊이를 더해간다. 영국의 제이미 올리버처럼 유명
셰프들이 화면에서 연예인 같은 대접을 받은 지도 벌써 몇 년이
지났다. 그 덕에 당연하다고 생각했거나, 미처 모르는 채로 먹었
던 음식의 뒷얘기를 알아가는 맛이 쏠쏠하다.

그 뒷얘기 중 기억에 남는 하나가 점심이다. 매일 직장인들의
고민 중 하나가 오늘 점심 뭘 먹을까이다. 그런데 그렇게 매일 점
심을 챙겨먹은 삼시세끼가 사실은 채 이백 년이 안됐다고 한다.
수천 년간 농사를 짓던 조상들은 아침, 저녁 두 끼를 밥으로 먹

고 그 사이에는 가볍게 배를 채웠다. 중국에서도 황제는 하루 4
번, 지방의 제후는 하루 3번을 먹었는데, 그 외에는 관직이 있건
없건 모두 하루 두 끼를 먹었다. 밥 먹는 횟수가 권력이고 지위인
셈이다.

그러다 보니 해가 떠 있는 시간엔 배가 고팠을 게 당연했다. 간
단히 먹을 요깃거리가 필요했다. 한자로는 디엔신(点心, 점심)이
라고 쓴다. 우리도 한자어 그대로 점심이라고 말한다. 마음에 점
을 찍는다는 뜻이다. 허기진 마음에 점을 찍듯 간단히 배를 채우
는 음식쯤으로 해석하면 된다. 떡, 과자, 빵, 케이크 같이 간단
히 먹는 간식거리를 말한다. 중국은 워낙 만두를 많이 먹는 나라
니까 디엔신으로도 빠오즈나 만터우를 많이 먹었을 것으로 추측
한다. 이 디엔신이 장강을 건너 중국 남쪽으로 내려가면 딤섬이
된다. 딤섬은 광동식 발음이다. 우리가 흔히 중국식 만두라고 알
고 있는 딤섬의 뒷얘기다.

찐딩쉬엔(金鼎軒)은 광둥식 딤섬을 맛볼 수 있는 식당이다. 딤
섬으로는 북경에서 손꼽힌다. 1993년에 처음 북경에 본점을 열
었는데, 지금은 전 중국에 지점이 수백 개가 넘는 체인으로 성장
했다. 북경 사람들에게 가장 많이 알려진 식당 중의 하나로 손꼽
히고, 북경에서 처음으로 24시간 영업을 시작한 식당으로도 유
명하다. 현지인들뿐 아니라 북경을 찾는 관광객들에게도 유명세
가 있는 식당이다. 딩(鼎: 정)은 솥이라는 뜻인데 박물관에서나 볼
수 있는 옛 청동기 시대의 다리가 셋 달린 솥을 '딩'이라고 한다.

은시대 말기의 정(鼎)
청동기 시대의 다리가 셋 달린 솥을 '딩'이라고 한다. 옛날 백성들이 배부르게 먹기를 바라는 염원을 담아 무쇠솥을 만들고 제사를 지냈던 데서 유래했다. 그래서인가 찐딩쉬엔에 가면 배부르게 먹는 것을 멈출 수가 없다.

옛날 백성들이 배부르게 먹기를 바라는 염원을 담아 무쇠솥을 만들고 제사를 지냈던 데서 유래했다. 그래서인가 찐딩쉬엔에 가면 배부르게 먹는 것을 멈출 수가 없다.

광동 요리는 중국에서도 4대 요리로 꼽힌다. 일찍부터 서양 선교사와 상인들이 드나들어 자의반 타의반으로 중국 요리를 대표하게 된 사정도 있을 테지만, 남방의 풍요가 고스란히 식탁에 반영되어 있는 점은 부인할 수 없다. 네발 달린 것은 책상만 빼고 다 먹는다는 농담은 식재료가 풍부한 광동 요리의 특징을 잘 보여준다. 딤섬도 마찬가지다. 광동에는 딤섬의 종류만 수백 가지라더니 메뉴판을 넘겨 일일이 보는 것만도 힘들 정도로 요리의 개수가 많다.

1. 용화궁 근처 찐딩쉬엔 본점은 화려한 외관과 규모로 찾는 이들을 압도시 킨다.

2.3 주방은 개방되어 밖에서 볼 수 있다.

≳ 각양각색 딤섬의 세계 ≲

북경 시내에 여러 지점이 있지만 용허꽁(雍和宫, 용화궁) 근처 찐딩쉬엔 본점이 규모면에서 찾는 이들을 압도한다. 용화궁은 대궐처럼 큰 라마교 사원이다. 찐딩쉬엔도 지척에 있는 용화궁을 닮은 커다란 건물이다. 메뉴판만 네 개인데, 딤섬 메뉴판과 요리 메뉴판이 별도로 있다. 계절별로 추천 메뉴가 있는 메뉴판도 있고, 해산물만 따로 추려놓기도 했다. 요리도 훌륭하다. 광동식 요리와 쓰촨식 요리가 두루 있다. 원하면 고기와 해산물을 푸짐하게 시킬 수 있다. 하지만 찐딩쉬엔은 뭐니 뭐니 해도 딤섬이다. 초심을 잃지 않고 딤섬 메뉴판에 집중하는 데만도 시간이 꽤 걸린다. 딤섬의 종류가 2천 개가 넘는다는 홍콩이 딤섬의 본고장으로 알려져 있지만, 사실 원조는 광동이라는 것이 많은 세프들의 이야기다. 따지고 보면 홍콩은 광동성의 작은 어촌이었으니 구별하는 것 자체가 별 의미가 없다.

밀가루 또는 쌀가루로 만든 껍질에 고기, 해산물, 채소 등 갖은 재료로 소를 만들어 넣은 후 찌거나 굽거나 기름에 지져서 만들어 낸다. 분명 텍스트로만 보면 우리의 만두나 중국의 빠오즈와 별 차이가 없는데 실제 나오는 모양새는 또 다르다. 검색해보니 만드는 방법에 따라 딤섬을 분류하는데, 작고 투명한 모양은 가우(餃), 껍질이 푹신하고 두툼한 바우(包), 윗부분이 보이는 마이(賣), 속을 볶아 넣는 시우마이(燒賣), 쌀가루로 얇게 껍질을 부

딤섬을 메뉴판에서 고르고 적힌 번호를 식탁 위의 종위에 써서 종업원에게 주면 된다.

쳐 돌돌 마는 판(粉) 등으로 나눈다. 한자와 발음이 조금 다른 것을 보니 홍콩식 분류인가 보다. 뭐라도 좋다. 더불어 가격대가 적당한 것이 찐딩쉬엔의 장점이다. 눈에 들어오는 대로 여러 가지를 주문하는 데 별 부담이 없다.

　여러 번 올 때마다 꼭 시키는 세 가지가 있다. 시엔시아샤오마이(鮮虾烧麦)와 쉐이징시아지아오황(水晶虾饺皇) 그리고 미즈차샤오빠오(蜜汁叉烧包)이다. 많은 사람들이 여기에 에그타르트를 더해 광동 딤섬의 4대 천왕으로 꼽기도 한다. 시엔시아샤오마이(鮮虾烧麦)는 새우와 잘게 다진 돼지고기를 노란 전분으로 감싸 쪄낸 것이다. 샤오(烧)는 찌거나 굽는 조리방식인데 원래는 태운다는 뜻이다. 마이(麦) 역시 익숙한 한자다. 밀이나 보리 등 맥류를 말한다. 한국인에게 가장 익숙한 딤섬 중의 하나다. 한 입에 쏙 들어갈 크기인데, 속이 아직 뜨거우니 조심해야 한다. 쉐이징시아지아오황(水晶虾饺皇)은 말 그대로 수정(水晶)을 떠오르게 한다. 속이 보일랑 말랑한 빈투명의 껍질이 상징이다. 속을 가득 채운 새우를 눈으로 확인할 수 있다. 미즈차샤오빠오(蜜汁叉烧包)는 하얀 빵 속에 구운 돼지고기가 들어가 있다. 빵의 윗부분을 4등분으로 약간 절개해 놓아 고기를 볼 수 있다. 미즈(蜜汁)는 꿀을 말한다. 꿀 뒤에 즙을 뜻하는 즈(汁)를 붙였다. 그냥 차샤오빠오(叉烧包)라고 많이 부른다. 차(叉)는 포크, 갈고리라는 뜻인데 구울 때 사용했다는 의미인 듯하다. 고기에 꿀을 발라 구웠으니 달콤하다. 말랑거리는 빵이 한 입에 쏙 들어간다. 우리 호빵 같은

1. 시엔시아샤오마이
2. 쉐이징시아지아오황
3. 미즈차샤오빠오

뤄보까오

니우로우화창펀

느낌이다. 뤄보까오(罗卜糕)도 주문했다. 뤄보(罗卜)는 무, 까오 (糕)는 떡이나 케이크를 말한다. 쉽게 말하면 무떡이다. 무와 약 간의 다진 고기를 기름에 지졌다. 끈적끈적한 떡을 씹는 질감이 있다. 특별한 맛이 있는 것은 아닌데 가끔 주문하게 된다. 가격도 싸다.

쌀가루로 만든 얇은 피로 속을 말아서 찌면 창펀(肠粉)이다. 화 (滑)를 앞에 붙여 화창펀(滑肠粉)으로 썼는데, 매끄럽다는 뜻이다. 단어 뜻 그대로 쌀가루로 만든 피가 반질반질하다. 속 재료는 새 우, 소고기, 채소 등 다양하다. 니우로우화창펀(牛肉滑肠粉)을 주 문했다. 속에 소고기와 고수가 들어있다. 고수 특유의 향이 아 직 입에 안 맞는 사람은 종업원에게 미리 말하면 빼준다. '부야 오샹차이(不要香菜, 고수 빼주세요)'를 입에 달고 다니는 한국 사람 이 많다. '부야오샹차이'라고 글씨가 쓰여 있는 티셔츠도 있다. 그 래도 대륙의 식탁을 여행하려면 그 맛에 익숙해지는 것이 상책 이다. 창펀은 흐물거리는 만두피가 핵심이다. 안에 속없이 피만

딴딴미엔

주문해 간장에 찍어 먹는다는 얘기도 들었다. 워낙 미끈거려서
젓가락에서 제멋대로 빠져나가기 일쑤다. 찌엔지아오(煎饺)도 주
문했다. 우리 중국집에서 보는 것과 거의 같은 군만두다. 속도 돼
지고기와 부추다.

딤섬 메뉴판에는 면과 죽 종류도 많이 있다. 술 먹고 해장하러
오기에도 좋은 집이다. 뜨끈하고 얼큰한 맛은 술꾼들이 좋아할
만하다. 샹탕면(上汤面)은 맑은 국물의 국수다. 샹탕(上汤)은 주로
닭을 고아 육수를 낸다. 닭곰탕을 생각하면 쉽다. 면과 채소만 들
어있다. 군더더기 없이 담백하다. 국수를 시키면 작은 그릇이 나
오는데 혼자 먹기에 딱 좋은 양이다. 주로 먹었던 것은 딴딴미엔

(担担面, 단단면)이다. 단단면은 사실 쓰촨 음식이다. 생강, 마늘, 파, 고추기름을 듬뿍 넣은 얼큰한 양념을 얹은 국수다. 국물 없이 비벼먹기도 하는데, 찐딩쉬엔의 단단면은 걸쭉한 국물이 조금 있다. 쓰촨 음식이라고 미리 겁먹을 필요는 없다. 혀가 아릴 정도의 맛은 아니다. 적당히 매운맛을 느낄 수 있을 정도. 딴(担)은 짊어진다는 뜻인데 장사치들이 국수를 메고 다니면서 팔았다는 데서 이름이 유래했다고 한다. 딤섬을 많이 먹어 살짝 기름기가 도는 배를 단단면의 얼큰함으로 씻어 내렸다. 그리고는 또 딤섬을 먹는다. 일종의 딤섬 촉진제다.

⩧ 24시간 북경을 사로잡은 매력 ⩤

24시간 영업을 하는 곳이다 보니 아침 메뉴도 따로 있다. 지점별로는 출근시간을 겨냥해 타임세일을 하기도 한다. 북경의 길거리에서 파는 메뉴들과 별반 다르지 않다. 하지만 재료와 제조 과정의 위생 관리가 철저하다는 평이다. 덕분에 바쁜 아침부터 찐딩쉬엔을 찾는 중국인들이 많다. 그야말로 아침부터 저녁까지 24시간 동안 손님들로 북적인다.

북경에서 가장 많이 들락거린 식당 중의 하나다. 어지간히 큰 쇼핑몰에서는 찐딩쉬엔의 딤섬을 간단하게 즐길 수 있는 지점들이 많이 있다. 이곳들에선 인기 있는 딤섬을 위주로 메뉴를 구성

한다. 찐딩쉬엔 익스프레스쯤으로 생각하면 된다. 그래도 꽤 여러 가지 메뉴가 있어 부족하지는 않다. 적당한 가격에 푸짐한 딤섬. 가성비로는 속된 말로 갑이다. 1년여를 중국에 있으면서 여러 차례 한국에서 오는 촬영팀을 안내했는데, 한 번도 실패한 적이 없었다. 모두들 놀라운 먹성을 보여주며 딤섬을 해치우곤 했다. 딤섬은 바다 건너 한국으로 건너가면서 가격대가 대폭 상승한다. 먹을 때마다, '딤섬에 맛 들여 한국으로 돌아가면 큰일이다'라는 생각을 했다. 한국에도 점차 딤섬 전문점이 늘어가고 있는 추세다. 찐딩쉬엔이 이 대열에 합류할 날을, 딤섬 애호가의 한 사람으로서 손꼽아 기다린다.

　　　　　　　　　　金鼎轩 jīndǐngxuān

⊙ 가는길

지점이 워낙 많지만 용허꿍(雍和宫, 용화궁) 옆이 가장 유명하다. 명함에 적힌 지점 개수만 27개고, 검색하면 수많은 지점이 나오지만 띠운점(地坛店)을 찾아가면 된다. 지하철 용화궁 A출구로 나오면 바로 크고 화려한 붉은 등을 많이 단 건물이 보인다.

♀ 주소

北京市 东城区 和平里西街77号

☎ 전화번호

010-64296699

본점으로 가려면 예약은 필수다. 점심, 저녁 식사 시간에 가면 기본 30분 이상 줄을 서야 한다. 대기 번호표를 주는데 위챗으로 QR코드를 찌으면 몇 명 남았는지 휴대폰으로 확인할 수 있다. 24시간 영업이다. 바로 옆에 검은색 큰 건물은 클럽이다. 에픽하이가 와서 공연했었다는 얘기를 들었다. 새벽까지 클럽을 즐기다가 나와서 들러도 딱이다.

🥢 예산

딤섬 외에 다른 요리도 많이 있지만 딤섬에만 집중한다면 1인당 50위안(8,500원) 내외면 충분하다. 아무리 대식가라도 100위안(17,000원)을 넘기기는 힘들다. 찐딩쉬엔의 차와 음료는 따로 팔기도 한다. 나가면서 한 병씩 들고 나가는 손님들도 많다.

潇湘府
xiāoxiāngfǔ

마오쩌둥이 극찬한
혁명의 매운 맛이 살아있는 식탁

후난 요리

샤오샹푸

潚湘府
xiāoxiāngfǔ

﹥ 후난의 매운맛 ﹤

적벽에서 조조에게 기적적인 승리를 거둔 후, 유비와 손권은 형
주를 두고 신경전을 벌인다. 이때 장비, 조운을 보내 재빠르게 형
주 남쪽의 4군을 차지하는 것이 유비다. 황충과 위연 등 삼국지에
이름을 올리는 명장들도 이때 얻었다. 여세를 몰아 유비는 촉을
섬령해 촉과 형주를 아우르는 세력을 구축한다. 이후 관우의 죽
음에 분노한 유비가 대군을 몰아쳐 형주로 들이닥쳤지만 이릉에
서 전군을 잃었다. 유비군을 궤멸시킨 손권은 이 땅의 넓은 호수
였던 동정호에서 수군을 조련했다. 이렇듯 형주는 삼국지의 중심
무대 중 하나다. 형주 남쪽의 땅은 광대했지만 아직 중원의 질서
에 완전히 편입되지 않은 땅이었다. 4군 남쪽으로는 이민족의 터
전이었다. 훗날 이 땅에서 마오쩌둥, 류사오치, 펑더화이가 나고
자랐다. 지금의 중국을 만든 사람들, 혁명가의 고장이 된 것이다.

이 모두는 지금의 후난성이다.

후난성 옆에는 쓰촨과 충칭이 있다. 세 곳 모두 매운맛으로 유명하다. 사실 매운맛이 과연 맛인가에 대해서는 의견이 분분하다. 매운맛은 통증이라는 사람들도 있다. 혀가 느낄 수 있는 단맛, 쓴맛, 짠맛, 신맛이 아니라 먹으면 입을 자극해 통증을 느끼는 세포를 잠에서 깨운다는 얘기다. 짜릿하고 얼얼하다는 표현이 정확할 것이다. 하여튼 매운맛은 지금 대륙을 휘어잡고 있다. 후난 시골에서 태어난 마오쩌둥 역시 매운맛을 잊지 못한다. 그는 '고추를 좋아하는 사람이 못 해낼 일은 없다'며 매운맛 찬가를 불렀다. 뿌츠라지아오뿌거밍(不吃辣椒不革命), 매운 음식을 먹지 않으면 혁명을 할 수 없다는 뜻이다. 마오 덕분에 매운맛은 혁명가의 맛으로 자리매김했다. 후난의 매운맛에 대해 재밌는 노랫말이 있다. '辣妹子辣, 辣妹子辣, 辣妹子, 辣妹子, 辣辣辣', 라(辣)는 맵다는 단어고 메이즈(妹子)는 여동생, 누이동생이다. 라메이즈(辣妹子)는 후난의 젊은 처녀를 부르는 말이다. '후난의 아가씨는 매워, 후난의 아가씨는 매워, 후난의 아가씨는 맵고 화끈하고 열정적이라네' 누군가의 번역이 말맛을 살려 훌륭하다.

북경에는 후난 요리 전문임을 내세우는 식당이 많다. 마오쩌둥의 후광도 있겠지만, 기본적으로 듬뿍 넣은 매운 고추가 떠오르는 후난의 맛을 중국인들은 워낙 좋아한다. 중국 8대 요리를 꼽으면 후난 요리가 빠지지 않기도 한다. 매운 고추를 먹고 자란 후난 사람들은 성미가 급하고 괄괄하니 그들과 싸우지 말라는 농담

모임이 많아 항상 시끌벅적한 식당이다.

이 있을 정도다. 동행이 후난의 고추를 설명해 준다. 빨간 고추를
자른 후 식초에 담그면 쏸라(酸辣) 고추, 고추와 마늘과 후추를
같이 담아 만들면 마라(麻辣) 고추, 고추에 소금을 불려서 담으면
시엔라(咸辣) 고추이다. 고추를 쌀과 함께 볶아서 담은 후 나중에
요리할 때 쓰는 자라(鮓辣) 고추도 있고, 고추를 가루로 만들고
나서 마늘과 기름을 넣으면 요우라(油辣) 고추, 고추를 불에 태워
참기름과 간장을 넣고 비비면 시엔라(鮮辣) 고추가 된다. 듣기만
해도 맵다.

메뉴판을 넘기면 고추, 말린 고기, 호수에서 펄떡거리는 물고기를 보여주는 사진이 실려 있다.

≩ 한국인도 익숙한 매운맛 ≩

샤오샹푸(潇湘府)는 그 중 전통 후난 요리로 이름난 곳이다. 샤오(潇)는 '물이 맑고 깊다'라는 한자인데, 중국에서 두 번째로 크다는 동정호 남쪽을 흐르는 강 이름이다. 샹(湘)은 후난성의 별칭이다. 샤오샹(潇湘) 두 글자로 후난성을 부르기도 한다. 식당 이름을 보면 바로 후난 요리임을 알 수 있다. 메뉴판을 넘기면 고추, 말린 고기, 호수에서 펄떡거리는 물고기를 보여주는 사진이 실려있다. 후난의 매운맛을 보여주는 고추를 직접 손으로 따서 손질하고, 고기를 산속 깊은 곳에서 말리며, 동정호의 살아서 펄떡이는 물고기를 식재료로 쓴다는 글이 적혀있다. 맷돌을 가는 그림도 보이는데, 민간에 내려오는 전통 방식으로 두부를 만든다는 설명이다. 초우또우푸(臭豆腐, 취두부)라는 단어도 보인다. 그래서인가 식당에 들어가자마자 퀴퀴한 향이 코를 찔렀다. 취두부 냄새다. 아마 대만 야시장이나 북경 주요 거리의 먹자골목을 들어가 본 사람이라면 발 냄새 같기도 하고, 화장실 냄새 같기도 한 향에 눈살을 찌푸린 적이 있을 테다. 두부를 소금에 절여 발효시킨 것인데, 중국 음식에 적응했는지를 가늠하는 척도로 자주 거론된다. 좋아하는 사람은 먹을수록 고소한 맛이 난다고 한다. 아직 즐길 만큼이 아니라 섣불리 동의하진 못하겠다. 취두부와 고수를 거리낌 없이 먹을 수 있으면, 어느 중국집이든 절반은 성공일 듯하다. 후난에서도 취두부를 많이 먹는다. 요리에 소스로도 이용한다. 냄새가 자욱하다. 하지만 냄새는 들어갈 때 잠시뿐이다. 지레 겁먹을 필요는 없다.

샤오차오황니우로우(小炒黃牛肉)를 주문했다. 황소고기 볶음이다. 사진에서 봤던 빨간 고추가 들어있다. 역시나 맵다. 마라탕과는 다른 매운맛이다. 톡 쏘는 매운맛이다. 듣기에 후난의 매운맛은 한국의 매운맛과 비슷하다 했다. 쓰촨의 매운맛인 마라는 화지아오라는 향신료의 매운맛이다. 먹으면 혀와 입이 마비되는 듯한 얼얼함이 특징이다. 후난의 고추는 그냥 맵다라는 표현이 딱 맞다. 홍대 앞에서 불닭을 먹었을 때, 한남동에서 빨간 냉면을 먹었을 때 귀까지 빨개지던 그런 매운맛 같다. 작은 것을 시켰는데 48위안(8,160원)이다. 양은 적지 않다. 후난과 쓰촨의 매운맛을

샤오차오황니우로우

경험했으면 꾸이저우의 매운맛도 맛봐야 한다. '四川人不怕辣湖
南人辣不怕, 貴州人怕不辣'이라는 말이 있다. '쓰촨 사람은 매
운맛을 무서워하지 않고, 후난 사람은 매운맛에 대한 두려움이
없고, 꾸이저우 사람은 맵지 않은 맛을 두려워한다'는 뜻이다.

⟩ 동정호의 생선은 어떤 맛? ⟨

샤궈비엔또우쓰(砂锅扁豆丝)는 후난에서 나는 콩 줄기를 볶은
요리다. 샤궈(砂锅)는 질그릇을 말하는데 우리 뚝배기와 비슷한
그릇에 담겨 나온다. 식당에는 후난 특색이라는 설명이 붙은 채

소요리가 많다. 장강 변의 넓은 평야는 중국에서도 알아주는 곡창이어서 곡식과 채소가 풍부하다. 먹을 것이 부족하던 시절, 대륙 전역이 아침으로 잡곡을 갈아 죽을 먹어도 후난 사람들은 쌀밥을 먹는다는 우스갯소리가 있었다. 특별히 맛있다는 느낌보다는 후난 식당에 왔으니 후난에서 재배한 식재료로 요리한 음식을 먹는다는 것에 한 표를 준다.

후난 요리 중 특색 있는 것으로 위토우(鱼头), 생선 머리가 있다. 동정호에서 잡은 물고기를 쓴다. 쌍쓰어위토우왕(双色鱼头王)을 주문했다. 쌍(双)은 한 쌍 두 쌍을 셀 때 쓰는 단위다. 반으로 나뉜 접시에 두 마리 생선이 나온다. 위토우(鱼头) 답게 머리 위주다. 두툼한 생선살을 기대하면 안 된다. 그나마 머리 밑에 조금 붙어있는 살집은 잔가시가 많아 떼어먹기가 번거롭다. 머리에 붙어있는 흐물거리는 살점을 먹어야 하는 요리다. 각각 녹색 고추와 빨간 고추를 다져 얹었다. 하지만 생각보다는 맵지 않았다. 동행은 생선의 눈이 건강에 좋다며 먹으라고 권한다. 미식가의 경지에 오르지 못한 나는 경험이 없는 식습관 앞에서는 주저하게 된다. 종업원이 개구리 요리를 추천했는데 결국 주문하지 않았다. 우리는 황소개구리 하면 혐오감을 느끼기 쉽지만, 후난 사람들은 삶아서 매운 양념을 곁들여 맛있게 먹는다. 생선 머리를 쪄낸 육수에 국수도 적셔 먹는다. 면발도 쫄깃하고 매운 듯 짭짤한 육수도 훌륭하다. 따로 밥을 안 시켜도 될 정도다. 국수만 추가로 주문할 수도 있다.

1. 샤궈비엔또우쓰
2. 쌍쓰어위토우왕

현지인들은 샤오샹푸의 생선 요리 중에서 단연 초우꾸이위(臭鱖魚)를 추천한다. 초우(臭)는 썩는다는 뜻이고, 꾸이위(鱖魚)는 쏘가리다. 초우꾸이위는 우리나라의 홍어처럼 삭힌 생선 요리다. 홍어매니아들이 그 맛에 중독되듯이, 초우꾸이위 역시 마찬가지라고 했다. 초우꾸이위를 먹기 위해 샤오샹푸를 찾는다는 사람들도 많았다. 식당에 들어왔을 때 코를 찌르던 퀴퀴한 냄새의 범인을 알 것 같았다.

후난 식당에서 빼놓을 수 없는 요리가 있다. 홍샤오로우(紅燒肉)다. 항저우 식당에서 동파육으로 먹던 그 삼겹살 조림이다. 최근에는 포도주를 첨가해 붉은빛을 내기도 한다. 마오쩌둥이 특히 좋아했다. 장제스의 추격을 피해 걷고 또 걸었던 대장정 기간에도 즐겨 먹었다는 일화가 있을 정도다. 개혁개방 이후, 잘 사는 사람과 못 사는 사람의 차이가 생겨나면서 마오쩌둥에 대한 향수가 높아간다. 어찌 되었든 '그때는 모두 같았다'라는 생각을 하고 있는 서민들은 나오를 추억하며 현실의 고단함을 달랜다. 수백 개의 체인점이 있는 마오지아판디엔(毛家飯店)이 북적거리는 이유다. 마오의 식당이라는 뜻이다. 실제로 주인은 마오의 이웃집에 살던 사람이다. 후난성은 마오쩌둥이 즐기던 4가지 음식에 대한 표준 조리법을 발표하기도 했다. 후난성 닝샹(寧鄕)에서 자란 돼지를 사용해야만 마오라는 단어를 쓸 수 있게 했다. 그래서 메뉴 이름이 마오싀홍샤오로우(毛氏紅燒肉)다. 대륙 곳곳에 있는 죽은 마오의 흔적은 식탁이라고 예외가 아니다.

1. 초우꾸이위
2. 홍샤오로우
3. 따만터우

음식을 제법 시켰기 때문에 따로 밥이나 면을 주문하지는 않았다. 매콤한 볶음밥과 쌀국수도 맛있기로 유명하다. 따만터우(大馒头)를 주문했다. 우리가 알고 있는 만두와는 다른 속이 없고 그냥 밀가루 반죽을 쪄낸 것이 나온다. 남방에서 밥 대신 많이 먹는다고 한다. 국물에 찍어도 먹고, 밥처럼 만두 한 입 먹고 반찬을 먹는 식이다. 학교 식당에서도 밥 대신 만터우와 반찬 두어 가지를 놓고 식사하는 학생들이 많았던 기억이 났다.

매운 음식으로 불 지른 속을 다스리는 데는 맑은 술이 제격이다. 바이지우(白酒, 백주)를 한 병 주문했다. 매콤한 고기 한 점을 털어놓고는 핑계 김에 한 잔씩 털어 넣었다. 중국에 처음 올 때만 해도 마오타이주가 마오쩌둥하고 관계있는 술인가 생각했던 문외한이었다. 이제는 똑 쏘는 매콤한 후난 요리에 맞는 바이지우는 뭐가 있을까를 생각하는 단계로 진화했다. 스스로 흡족해하며 한 잔 더 가득 부어 마셨다.

潇湘府 xiāoxiāngfǔ

🕐 **가는길**

현재 리모델링 중인 본점을 포함해 북경에 지점이 9곳 있다. 코리아타운인 왕징에도 있어 찾아가기 쉽다. 전매대학 근처인 차오양 지점으로 갔었다. 동행인 궈단양 교수가 학교에서 손님 접대할 때 자주 찾는 곳이라며 안내해줬다.

📍 **주소**

北京市 朝阳区 朝阳北路 北岸1292商业广场 餐饮A座 1층

📞 **전화번호**

010-85376378

💰 **예산**

가격이 저렴한 식당은 아니다. 2층에 룸이 있어 모임이 있거나 손님을 대접해야 할 때 찾기 좋은 편이다. 두 명이 300위안(51,000원)을 생각하면 요리 서너 개에 주식 두어 개 시켜 이것저것 맛볼 수 있다. 매운 음식이 많아 바이지우 한 잔 생각이 간절해지는 것이 함정이다. 한 병 시키면 두 병 시키게 되고, 그러다 보면 지갑이 거덜 날 수도 있다.

汤本味
tāngběnwèi

북방의 찬바람을 달래는
온기를 담은 식탁

탕번웨이
샹시 요리

汤本味
tāngběnwèi

⸙ 뜨끈한 국물 한 사발이 생각날 때 ⸙

바람이 일찍, 또 거세게 차가워졌다. 북방이라는 말이 실감 난다. 중국의 대학으로 연수를 간다고 하자 북방인지 남방인지 묻던 지인이 있었다. 북경이라고 답하자, 10월이 제일 힘들 거라며 묘하게 웃었다. 웃통을 벗은 노인들이 즐비한 한여름 더위나, 스모그와 겹친 한겨울 추위가 아니고 가을이 가장 힘들다니, 무슨 얘기를 하는지 이해하지 못했다. 하지만 곧 알게 됐다. 북경의 가을은 잠시 스쳐간다. 우리 역시 봄·가을이 짧아졌다며 이상 기후를 탓하는 법석을 떨지만, 북경에 비하면 양반이다. 잠깐 가을인가 싶다가 스모그에 며칠 시달리다 보면 북풍이 불어온다. 문제는 난방이다. 중국의 북방은 국가가 난방을 결정하는 중앙난방 방식이다. 보통 11월 둘째 주부터나 난방 장치를 가동할 수 있다. 10월 중순이면 불기 시작하는 찬바람을 한 달 남짓 견뎌야 한다. 기

식당 곳곳은 오래된 소품들로 채워져 있다.

숙사 방에는 냉기가 흐른다. 장갑을 끼고 노트북을 치는 사진들이 위챗에 올라오기 시작한다.

뜨거운 국물이 간절했다. 전기장판을 제외하면 온기라고는 찾아보기 힘든 으스스한 추위를 달래줄 깊게 우려낸 국물 한 사발 생각이 머리를 맴돌았다. 탕번웨이(汤本味)는 그런 한국인들에게 한 번쯤 추천하고 싶은 식당이다. 북경의 코리아타운인 왕징에 가면 설렁탕, 곰탕집을 어렵지 않게 찾을 수 있지만, 탕번웨이 역시 거기에 견주어 전혀 빠지지 않는 깊은 국물 맛을 선사한다.

≳ 도자기에 담긴 갖가지 탕 ≲

자리에 앉자마자 중국 특유의 두툼한 메뉴판을 내어 준다. 한 번 훑어보기만 해도 꽤 시간이 걸린다. 첫 장을 넘기자 '一天一碗汤 神仙也不当(하루에 한 사발의 탕을 먹으면 신선도 당할 수 없다)'는 글귀와 함께 너덧 장에 걸친 탕 메뉴가 보인다. 웨이탕(煨汤)이라는 큰 제목은 약한 불에 천천히 푹 고아서 끓여냈다는 뜻이다. 중국에서 이렇게 탕을 전문으로 하거나, 앞에 내세운 식당은 좀처럼 찾아보기 힘들다. 한 중국인은 자기들은 탕은 요리로 치지 않는다는 말도 했다. 마라탕이나 계란탕을 식당에서 흔하게 찾아볼 수 있긴 하나, 곁들여 먹는다는 느낌이 강하다. 뜨끈한 국물에 밥을 말아 먹는 한국의 국밥은 중국인들에게는 낯선

당꾸이우지탕

음식일 뿐이다. 그래서 웨이탕(煨汤)이라는 이름을 달고 메뉴판의 앞자리를 차지하고 있는 각양각색의 탕들이 신기했다.

당꾸이우지탕(当归乌鸡汤)은 당귀와 오골계, 하이따이파이구탕(海带排骨汤)은 다시마와 갈비, 차슈구투지탕(茶树菇土鸡汤)은 차나무와 버섯 그리고 토종닭, 샨야오우지탕(山药乌鸡汤)은 고구마와 오골계, 이런 식으로 주재료들이 적힌 탕의 이름은 어림잡아 스무 개에 가까울 정도로 많았다. 메뉴에는 사진이 같이 있었는데, 재료를 쌓아놓은 것이 한의원의 약재를 보는 듯한 느낌이 있다. 가장 많이 팔린다는 당꾸이우지탕(当归乌鸡汤, 당귀 오골계탕)을 주문했다. 현지인들 사이에서도 다른 종류의 탕보다 닭고기로 우려낸 탕이 인기가 많아 보였다. 찌탕(鸡汤, 닭고기 탕)을 먹으러 저녁 6시쯤 탕번웨이에 갔다가 다 떨어져 어쩔 수 없이 야탕(鸭汤, 오리고기 탕)을 먹었다는 현지인들도 종종 있었다. 음식은 고풍스러운 도자기에 담겨 나왔다. 딱 한 사람이 먹기 좋을 정도로 우리의 밥그릇 보다 조금 컸다. 하지만 중국인들에게는 탕번웨이의 음식량은 빈정이 상할 만큼 적은 모양이다. 성인 여성은 한 그릇 반 정도는 먹어야 끼니가 된단다. 성인 남성은 먹으려고 보면 음식이 사라졌을 거라는 혹평도 눈에 띄었다.

그러고 보니 식당의 벽 한쪽에는 도자기와 예스러운 소품들로 가득했다. 궁금해서 물어봤다. 자기들은 쟝시성(江西省, 강서성) 음식이 전문이라고 한다. 쟝시성은 양쯔강 남쪽, 후난성과 저장성 사이에 있다. 중국 공산당이 최초로 무력 폭동을 일으켰던 난창(南昌)이 쟝시성에 있다. 이후 국민당군의 공격을 받은 공산당은 정강산으로 후퇴하는데, 이 정강산이 그 유명한 대장정의 출발점이다. 쟝시성 자체가 한국에 많이 알려져 있지 않은 지역이라 쟝시 음식 역시 뭔가 인상적으로 떠오르지는 않는다. 오지나 변경도 아니지만 우리와의 인연을 찾기에는 두드러지는 점도 없는 땅이다. 쟝시성을 외국인에게 알리는 대표 선수는 자연경관이나 음식이 아닌 도자기다. 중국에서 가장 오래 도자기를 만들어 온 도시 징더쩐(景德鎮, 경덕진)이 쟝시성에 있다. 중국차를 좋아하는 사람들이 다기를 사러 많이 찾는 곳이기도 하다. 그래서 탕도 차를 우려낸 물을 담아내듯 도자기에 내온다. 동행한 중국 친구가 쟝시와관탕(江西瓦罐汤)이라는 말을 알려준다. 와관(瓦罐)은 질그릇, 질항아리란 뜻이 있다. 와관(瓦罐)에 탕을 담아내오는 쟝시성의 오래되고 유명한 음식이란 설명이다.

≳ 찬바람이 불 때면 ≲

그러고 보니 메뉴에 난창, 정강 같은 지명이 눈에 많이 띄었다. 종업원이 추천해주는 난창미펀로우(南昌米粉肉)와 난창량빤펀(南昌凉拌粉)도 같이 주문했다. 난창미펀로우(南昌米粉肉)를 손님들이 좋아한다고 했다. 펀(粉)은 가루란 뜻이다. 일반적으로는 밀가루를 말하는데 미펀(米粉)이니 쌀가루란 뜻이다. 어떤 음식이 나올까 궁금했는데, 오래 걸리지는 않았다. 온기를 유지하기 위해 밑에 불이 있는 2층 형태의 그릇에 내온다. 바닥에는 고구마를 깔고 그 위를 돼지고기와 쌀가루를 버무려 찐 형태의 요리다. 양념은 우리가 집에서 흔히 먹는 고춧가루와 간장이 들어간 감자볶음과 약간 비슷했다. 고기 씹는 맛에 찐 쌀가루가 떡고물처럼 붙어 있는 것이 어우러져, 자판을 두드리고 있는 지금도 침이 고인다. 밑에 깔린 고구마를 들춰내서 호호 불어가며 먹는 맛도 일품이었다. 밑에 깔리는 재료는 감자, 고구마, 호박 등 다양하게 쓴다고 한다. 난창량빤펀(南昌凉拌粉)은 밥이나 국수를 추천해 달라고 했더니 종업원이 쟝시성 농촌에서 많이 먹는 국수라며 추천한 메

1. 난창미펀로우
2. 난창량빤펀

뉴다. 빤(拌)은 '비비다, 섞는다'는 뜻이다. 빤펀(拌粉)은 일종의 비빔밥 같은 개념이다. 양념을 얹은 비빔국수가 나왔다. 우리가 비빔국수에 다진 양념을 얹어 내오는 것과 모양이 같았다. 아주 맛있다고 말할 정도는 아니지만 주식으로서의 역할은 충분히 해낼 정도였다.

미식가도 아니고 밥상에서의 격식은 배고픔을 채우는 것이라고 생각하는지라 탕과 요리, 주식을 나오는 대로 섞어 먹었지만, 탕에 쌀밥만 시켜 먹어도 훌륭한 식사가 될 듯하다. 주문한 당꾸이우지탕(当归乌鸡汤)은 우리 닭곰탕처럼 맑은 국물이 맘에 들었다. 맛 역시 비슷했다. 은근하게 오래 끓었다는 설명처럼 닭 뼈에 붙은 살점도 부드러웠다. 펄펄 끓여 고기가 야들거리다 못해 부서질 정도인 우리 설렁탕까지는 아니었지만, 몇 번 씹지 않아도 쉽게 넘어갔다. 탕 국물의 온도도 바로 떠서 먹을 수 있을 정도로 적당했다. 당귀를 넣어서 그런지 약간 한약재 특유의 쓴맛이 있지 않을까 했는데, 기우였다. 마늘과 무, 대추가 작은 도자기 사발 안에 얌전하게 놓여있는 것이, 보이는 모양에도 많이 신경 쓴 음식인 것을 짐작할 수 있었다.

술을 먹으면서도 술국이 있어야 하고, 다음 날 일어나서도 해장국을 먹어줘야 하는 민족이 한국인이다. 소나 돼지의 뼈까지 고아서 국물을 내어 먹는 우리의 탕 문화는 중국이나 일본의 그것과는 많이 다르다. 술기운을 깨기 위해 차가운 오렌지 주스나 콜라를 마시는 외국인들 눈에 우리 해장국은 불가사의하게 보

디저트로 시킨 난창바이탕까오(南昌白糖糕)

인다는 글을 읽은 적이 있다. 기억을 더듬어 보면 어린 시절 어머니도 항상 아침이면 무언가 국을 끓이고 계셨다. 새벽 일찍 일어나 뭐라도 물에 넣어 끓인 국이 있어야 완성되는 것이 우리 아침 밥상의 특징이다. 이러니 외국에서 흔하게 찾아볼 수 있는 한식당 중의 하나가 설렁탕집인 것은 당연하다. 한식이 간절할 때는 하다못해 라면 국물이라도 먹어야 뭔가 먹은 것 같은 포만감에 배를 두드리게 된다.

북경의 찬바람은 거의 반년 가까이다. 거센 바람 소리는 자연스레 사람을 웅크리게 만든다. 낯선 땅에 발을 디딘 외지인들은 더할 것이다. 그럴 때 뼈의 골수까지 우려낸 우리의 국물과는 조금 다르지만 은근한 탕국물에 시린 몸을 녹이고 싶다면, 덥힌 국물을 수저에 떠서 목으로 넘길 때의 그 뜨끈함을 느끼고 싶다면, 탕번웨이(汤本味)는 빼놓지 말아야 할 선택지 중의 하나다.

 RESTAURANT TIP

汤本味 tāngběnwèi

🕐 **가는길**
북경에 총 10개 지점이 있다. 아래 주소는 현지인들 의 평가가 가장 좋은 광안먼(广安门) 지점이다. 주소를 바이두 맵에 찍고 가면 어렵지 않게 길가에 있는 식당들을 찾을 수 있다.

📍 **주소**
北京市 西城区 红居街 远见名苑5号楼 裙楼 1층 1호

📞 **전화번호**
010-63497727

🀄 **예산**
탕은 30위안(5,100원) 내외, 요리 역시 50위안(8,500원)을 생각하면 시킬 수 있다. 물론 비싼 요리도 많이 있다. 볶음밥과 국수 같은 주시은 20위안(3,400원) 내외다, 1인 100위안(17,000원)을 넘지 않는 예산으로 식탁을 가득 채우고 든든하게 즐길 수 있다.

☆ **기타**
디저트도 많았는데 역시 20위안(3,400원)을 넘지 않았다. 난창바이탕까오라는 이름의 디저트를 시켰는데, 가래떡 비슷한 것을 도너츠 모양으로 튀겨 설탕을 듬뿍 묻혀 나왔다. 너무 달아 추천하고 싶지는 않다.

眉州东坡酒楼
méizhōudōngpōjiǔlóu

중국 4대 요리,
그 중 첫 손가락을 다투는
쓰촨의 식탁

쓰촨 요리

메이저우
똥포어지우러우

眉州东坡酒楼
méizhōudōngpōjiǔlóu

≳ 추위와 더위가 요동치는 땅 ≲

중국의 4대 요리를 꼽는다면 사람마다 차이가 있겠지만 대게는 쓰촨, 광동, 상해, 북경을 말한다. 이들을 2개로 좁히면 어디를 꼽을 수 있을까? 아마 쓰촨과 광동이라는 데 별다른 이견이 없을 듯하다. 다리 달린 것은 책상과 의자 빼고 다 먹는다는 풍부한 식새료의 광동과 지금 대륙을 강타하고 있는 매운맛 열풍의 근원지 쓰촨이다. 특히 한집 건너 충칭 훠궈라는 말이 있을 정도로 쓰촨 요리는 북경을 평정한지 오래다.

쓰촨(四川)은 우리식 한자음으로는 사천성이다. 삼국지의 유비가 촉을 세웠던 땅이다. 한국인에게도 낮익은 고장이다. 대륙을 누비며 풍찬노숙했던 임시정부의 마지막 터전은 충칭이었다. 임시정부가 있던 곳은 기념관으로 잘 보존되어 있지만, 충칭 곳곳에 더 챙겨보아야 할 독립운동의 역사가 살아있다. 의열단을 이

끌었던 약산 김원봉의 거주지를 지도 한 장 들고 찾아가 봤던 적이 있다. 주소는 재래시장 골목 깊숙이 닭을 잡아 파는 낡은 목조건물 2층을 가리키고 있었다. 작은 창문이 빼꼼히 열려 있었는데, 수천 킬로미터를 쫓겨 와 시끌벅적한 소음에 몸을 의탁해야 했던 독립투사들의 고단함이 눈에 그려졌다. 이렇듯 쓰촨과 충칭은 우리와도 떼려야 뗄 수가 없는 역사를 공유하고 있다.

충칭은 지금은 직할시로 독립했지만, 쓰촨 바로 옆이고 오랫동안 쓰촨과 한 묶음이었다. 우리에게도 익숙하다는 것은 음식에서 더욱 그렇다. 쓰촨 요리는 매운맛으로 유명하다. 한국 관광객들이 중국을 여행하다가 기름진 음식에 속이 더부룩할 때, 촨차이(川菜, 쓰촨 요리)라고 써진 식당을 찾아 들어가면 된다. 쓰촨의 매운맛을 한 번 보고 나면 다시 기름진 요리를 찾게 될지도 모른다. 매운맛 좋아하는 한국인들에게 딱이다. 물론 우리의 매운맛과는 다르다. 여러 번 언급했지만 쓰촨의 매운맛은 혀를 마비시키는 얼얼한 매운맛이다. 얼큰함과는 차이가 있다. 이 맵고 얼얼한 맛을 마라(麻辣)라고 하는데, 화지아오라는 향신료가 톡 쏘면서 혀부터 시작해 입 전체를 고통스럽게 하는 매운맛이다. 쓰촨은 매운맛뿐 아니라 전반적으로 향이 강하기로 유명하다.

습하고 더운 지역일수록 맵고 신 것을 많이 먹어 땀을 흘려야 한다는 말을 들은 적이 있다. 쓰촨이 딱 그런 지형이다. 강을 끼고 산으로 사방이 막힌 내륙의 분지라서 여름의 더위와 겨울의 추위가 극과 극이다. 쓰촨이라는 이름도 4개의 하천이라는 뜻

식당에 들어가면 쓰촨의 식재료를 전시해놓고 판매도 한다

이다. 장강을 비롯한 넓고 급한 강의 물결이 쓰촨을 감싼다. 여름엔 덥고 습할 수밖에 없다. 음식이 썩기 쉬웠을 테니 자연스럽게 향신료를 많이 쓰기 시작했을 것으로 추측된다. 거기에 강과 산에서 캐고 잡아 올린 다양한 식재료들을 버무린 것이 오늘날 쓰촨 요리의 시작이다. 중국인들도 쓰촨 요리의 특징으로 향신료를 꼽는다. 추위와 더위가 요동치는 땅이었으니 자연스럽게 그리되었지 싶다.

어느 인터뷰에서 쓰촨의 매운맛을 분류한 것을 읽었다. '진득하게 매운 맛(糊辣), 짭조름하고 매콤한 맛(魚香), 생강맛(姜汁), 시고 매운맛(酸辣)' 등으로 세세하게 분류했다. 혀가 짧아 그 경지에까지 이르지는 못했지만, 묘한 중독이 있는 것은 부정하기 힘들다. 땀을 뻘뻘 흘려가면서도 가끔 생각나는 매운 중독이다. 그 마라의 맛을 보기 위해 굳이 쓰촨을 찾을 필요까지 없다는 것이 북경 생활의 큰 매력이었다.

〉 매콤함이 당길 때 〈

그중 잊을 만하면 찾았던 쓰촨 요리 전문 식당이 있다. 메이저우똥포어지우로우(眉州东坡酒楼)다. 메이저우(眉州)는 쓰촨성의 중심인 청두 남쪽의 메이산을 중심으로 한 지역 이름이다. 식당에 들어서자 '띠다오촨차이(地道川菜)'라는 문구가 선명하다.

띠다오는 순수한, 정통이라는 뜻이다. 식당의 자부심이 느껴진다. 2008년 북경 올림픽 때, '중국 맛 올림픽'이라는 행사가 있었는데, 이곳이 특별 금메달을 받았다고 한다. 1996년 북경에 처음 본점이 오픈할 때, 당시 중국 인민대표위원회 부위원장 왕광영이 직접 현판에 글을 써서 유명해졌다고 들었다. 내가 찾은 중관촌 지점은 찾아가기도 쉽다. 지하철 10호선 하이디엔황주앙역(海淀黄庄站)에서 100미터 정도 거리의 쭝관춘따샤(中关村大厦, 중관촌빌딩) 2층에 있다. 식당 내부도 넓고, 워낙 체인점이 많아 줄을 서지 않아도 된다. 중국의 웬만한 맛집은 30분은 기본으로 기다려야한다. 때문에 대기 시간이 거의 없는 것 또한 현지인들이 이 식당에 높은 점수를 주는 이유다. 가리지 않고 동행의 추천을 받아 이것저것 주문했다. 상이 금세 수북해진다.

먼저 꽁바오지띵(宫保鸡丁, 궁보계정)과 마포어또우푸(麻婆豆腐, 마파두부)다. 한국 사람들에게도 가장 많이 알려진 쓰촨 요리다. 꽁바오지띵의 유래는 이렇다. 청나라 때 쓰촨의 총독으로 정보정이라는 사람이 부임했다. 그의 관직 이름이 꽁바오(宫保, 궁보)였고 원래 그의 고향은 꾸이저우였다. 고향에 들른 그를 위해 마을 사람들이 잔치 음식을 준비하느라 야단법석이었다. 그 상황을 지켜본 정보정이 닭볶음이나 한 접시 준비하라고 지시한 것이 꽁바오지띵의 시작이다. 지(鸡)는 닭이고, 띵(丁)은 고기를 네모나게 써는 방식이다. 꾸이저우에서 만들어졌지만 정보정의 부임지였던 쓰촨에서 유행했다. 고추를 많이 넣어 매콤하게 만든 것이 퍼

1. 꽁바오지띵
2. 마포어또우푸

졌다. 지금은 어느 중국 식당에 가도 메뉴판에 있을 정도다. 간단하게 덮밥이나 국수를 파는 일종의 분식집에서도 빠지지 않는다. 차이가 있다면 땅콩을 듬뿍 넣고 새콤달콤한 단맛이 나는 꿍바오지띵도 많아졌다는 점이다. 퓨전 중국 요리를 표방하는 식당에서 쿵파오치킨이라는 메뉴를 본 사람도 있을 것이다. 같은 요리다. 메이저우똥포지우로우의 꿍바오지띵은 쓰촨 식당답게 고추가 듬뿍 들어가 있다. 그러면서도 단맛이 있다. 매콤달콤이라는 표현이 적당하다.

마포어또우푸(麻婆豆腐, 마파두부)는 한국의 중국 음식점에서 흔하게 볼 수 있다. 역시 시작은 중국이었는데, 지금은 대륙 전역에서 먹는다. 동북이 고향인 한 친구가 어렸을 적 엄마가 마파두부만 해줬다며 지긋지긋하다는 말을 한 적이 있다. 그만큼 조리가 쉬운 서민 음식이다. 마(麻)라는 글자가 언뜻 매운 음식임을 짐작게 하지만, 여기서 마포어(麻婆)는 얼굴에 곰보 자국이 있는 할머니를 뜻한다. 마(麻)에는 곰보라는 뜻도 있다고 한다. 처음 두부에 기름과 다진 고기를 넣어 볶아 팔던 노파에게서 유래한 음식 이름이다. 안 매운 것은 아니다. 마파두부 역시 프랜차이즈 식당에서는 달착지근하게 나오는 곳도 많은데, 정통 쓰촨 식당을 가면 얼얼할 정도로 맵고 뜨거운 두부 요리가 나온다. 조리법이 워낙 간단해 지금은 한국에서도 인기다. 방송에도 많이 나왔다. 백종원, 이연복의 마파두부 만드는 법을 손쉽게 찾아볼 수 있다.

찡디엔라쯔지(经典辣子鸡)라는 닭요리를 하나 더 주문했다. 튀

찡디엔라쯔지

긴 닭고기에 빨간 고추를 듬뿍 넣고 볶았다. 매콤하다. 우리 중국
음식점에 있는 라조기를 떠올리면 쉽다. 라조기는 쓰촨식 닭볶음
인 라쯔지의 사촌쯤으로 본다. '기'는 닭을 뜻하는 단어인 지(鸡)
의 산동 지역 사투리다. 산동의 중국인들이 한국에 와 정착해 화
교가 되면서 '지' 역시 '기'로 불리게 된 것으로 추정한다. 고추를
골라내며 먹는 매콤함 닭튀김의 맛이 쏠쏠하다.

쉐이주위

⋛ 장병들의 배고픔을 잊게 한 덩샤오핑의 입담 ⋛

쉐이주위(水煮鱼)도 쓰촨의 대표 음식 중 하나다. 처음 먹을 때
는 이게 뭐지 했었다. 기름 속에 생선살이 들어가 있다. 하얀 생
선살을 젓가락으로 집어 올리면 기름이 뚜욱 떨어진다. 조리 과
정은 고추와 통후추를 가득 넣은 솥에 기름을 잔뜩 붓고 발라낸
생선살을 넣는다. 속에는 콩나물을 듬뿍 넣어준다. 쉐이주위 전
문 식당이 여럿 있을 정도로 중국인들이 꽤나 좋아하는 요리다.
떨어지는 기름을 닦아내고 먹으라고 식빵을 주는 곳도 있다. 식빵 위에 생선을 올려놨다가 먹는다. 고추와 통후추를 많이 건졌는데도 그릇에 둥둥 떠 있다. 톡 쏘는 매운 기름 맛을 볼 수 있다. 생선살이 튼실해서 씹는 맛도 있다. 하천이 많은 쓰촨이라 여러 종류의 민물고기를 재료로 쓰는데, 이날은 차오위(草鱼)였다. 잉어과의 민물고기인데 풀을 먹는 물고기라고 해서 붙여진 이름이란다. 가격은 좀 생각해야 한다. 1인분을 시켰는데 78위안(13,260원)이다. 여럿이 가서 이것저것 시켜놓고 먹기에는 1인분 정도가 적당할 듯하다. 물론 맛을 들인 사람은 밥에 쉐이주이 큰 것만 시켜놓고 먹기도 한다.

똥포어조우즈(东坡肘子)는 돼지고기 조림 요리다. 조우즈(肘子)는 돼지 허벅지 살이다. 작은 단지에 매콤한 양념을 얹어 조린 고기가 나온다. 고수가 듬뿍 얹어졌다. 아직 고기의 맛보다는 고수의 향이 혀를 압도한다. 그래도 "고수 빼주세요"라는 말을 하지 않고 주는 대로 먹을 수 있게 된 것이 북경의 식탁을 1년간 전전하며 얻어낸 진보다. 동파육과 비슷할 줄 알았는데, 아주 다른 맛이다. 양이 적은 게 아쉽다. 호기심에 메이저우똥포어샹창(眉州东坡香肠)도 주문했다. 샹창(香肠)은 소시지다. 가늘게 썰어서 내온다. 중국 남부 지역의 음식점을 가면 종종 샹창이라는 메뉴를 볼 수 있다. 고온 다습한 기후에서 육류를 보관하기 위한 공통의 방법이 아니었을까 추측해 본다. 특별한 쓰촨의 맛을 식별해내기에는 내공이 아직 부족하다. 쫄깃한 식감이 술을 부른다는 느낌 정도다.

1. 똥포어조우즈
2. 메이저우똥포어샹창
3. 찬통쓰촨파오차이

쓰촨 식당에 왔으니 전통의 김치, 촨통쓰촨파오차이(传统四川泡菜)도 맛봐야 한다. 파오차이는 우리의 김치다. 절인 무에 살짝 양념을 뿌렸다. 말 그대로 쓰촨의 전통 김치인 셈이다. 절인 채소, 즉 김치만 가지고도 한중일 3국은 물론 중국이 공을 들이는 일대일로(一帶一路)의 문명사를 쓸 수 있다. 무를 씹으면서 언젠가 누가 다큐멘터리 주제로 삼아 김치로드를 누비겠구나라는 생각을 했다.

장제스에게 쫓기던 공산당은 대장정을 결의했다. 중국의 남방에서 서북쪽으로 크게 돌아 퇴각하는 멀고 험한 길이었다. 보급이 있을 리 없었다. 홍군은 전투로 죽는 것보다 얼어 죽고 굶어 죽는 수가 더 많았다. 궁리 끝에 말로 굶주린 배를 채우곤 했다. 굶은 배를 움켜쥔 장병들 앞에서 입담 좋은 지휘관들이 푸짐한 고향의 음식 이야기를 풀어냈다. 흥부전에 흥부 아이들이 각자 먹고 싶은 것을 이야기하면서 허기를 달래는 장면이 있는데 비슷하다. 그 지휘관 중 한 명이 훗날 대륙의 별이 된 덩샤오핑이다. 덩샤오핑은 쓰촨 출신이다. 각양각색의 쓰촨 요리가 그의 입을 통해 흘러나왔다. 혀가 얼얼할 정도로 매운 마라의 맛을 전하는 그의 입담에 장병들은 깔깔대며 잠깐이라도 배고픔을 잊을 수 있었다. 그때 덩샤오핑의 입을 통해 홍군을 달래던 쓰촨 요리가 지금의 대륙의 미식이 됐다. 북경 거리는 촨차이 간판이 어지럽다. 덩샤오핑이 살아 있었으면 어떤 반응을 보일지 궁금하다.

RESTAURANT TIP 眉州东坡酒楼 méizhōudōngpōjiǔlóu

🕐 가는길   북경에 지점이 수십 개다. 배달앱으로 시켜 먹기도 편하고 어지간
          한 동네에서는 쉽게 찾아볼 수 있다. 학교에서 가까운 중관촌 지
          점에 갔었다. 한국인이 모여 사는 왕징에도 어김없이 있다.

📍 주소   北京市 海淀区 中关村大街27号 中关村大厦 2층

📞 전화번호 010-59683322

💰 예산   가격대가 다양하다. 꿍바오지띵이나 마포어또우푸 같은 서민 냄
          새 풍기는 음식들은 20위안(3,400원) 안팎이지만, 전복 같은 고급
          시재료를 쓰는 요리들은 1인분에 300위안(51,000원) 가까이하는
          것도 있다. 쉐이주위 같은 민물고기 요리들은 대게 100위안(17,000
          원) 안팎이다. 워낙 음식의 가짓수가 많으니 메뉴판을 천천히 한
          번 본 후 주문하는 것을 권한다.

东兴楼
dōngxīnglóu

한국과 가장 가까운 중국,
전통의 산동 식탁

산동 요리

똥싱로우

东兴楼
dōngxīnglóu

≥ 산동, 신라방과 짜장면의 고향 ≤

군산 앞바다에는 섬이 많다. 서해 바닷물을 헤치며 섬에 오르면 바다 건너편 중국 산동 반도의 닭 우는 소리가 들린다는 우스갯 소리가 있다. 그만큼 가깝다는 얘기다. 거리가 300킬로미터쯤밖에 되지 않으니 우렁찬 꼬끼오 소리가 들릴 듯도 하다. 산동은 예전부터 한국 사람들에게 가장 친근한 중국이었다. 신라 시대, 이미 신라방이라는 코리아타운이 있었다. 그 시절 바다를 주름잡던 해상왕 장보고의 무대다. 그 이전에는 논란이 있지만 백제가 진출해서 영토로 삼았다는 학설도 있다. 이래저래 우리 역사에 자주 등장한다. 산동이 다시 한국 역사에 등장한 것은 구한말이다. 위안스카이와 함께 청나라 군대가 조선 반도를 밟았다. 그들을 따라 장사꾼부터 노동자까지 중국인들이 몰려왔다. 이들을 현재 한국에 거주하는 화교 1세대로 본다. 역시 가까운 산동 출신이

메뉴판과 함께 식당의 역사를 홍보하는 팸플릿이 있다.

많았다. 산동 출신 화교들이 한국인 입맛에 맞게 조금씩 바꿔간 요리의 대표 선수가 짜장면이다. 짜장면에 가리긴 했지만 사실 짬뽕도 산동에서 유래했다고 보는 견해도 있다. 짜장면의 기원을 자쟝미엔(炸醬面, 작장면)에서 찾는 것처럼, 산동의 차오마미엔(炒 码面, 초마면)을 짬뽕의 어머니로 본다. 초마면은 원래 요리를 하 고 남은 육류와 채소에 육수를 붓고 국수를 말아 먹던 산동 지역 의 음식이라고 한다. 싸고 푸짐한 것이 이국에 돈 벌러 온 화교들 에게 제격이었다. 일본에도 짬뽕이 있다. 나가사키 짬뽕이다. 나 가사키는 바다를 접하고 있어 해물을 듬뿍 넣었다. 나가사키 짬 뽕도 일본에서 사해루(四海樓)라는 중국 식당을 하던 화교 진평순 이 원조라고 한다. 한국을 대표하는 중국 음식 짜장면과 짬뽕은 이렇게 산동 반도와 연을 맺는다.

한중 수교 직후에 한국인들이 물밀듯 밀려들었던 곳도 산동이다. 기후도 좋고 깨끗해서 지금도 한국인들이 많이 거주하는 곳으로 손꼽힌다. 촬영 때문에 여러 번 산동의 웨이하이라는 도시를 드나들었는데, 일찍부터 한국식 아파트 단지에 한국식 문화가 퍼져 전혀 낯설지가 않았다. 서울에서 강릉까지의 거리보다 백령도에서 웨이하이의 거리가 짧다니, 신라방이 이렇게 수천 년을 넘어 재현되는구나라는 생각을 하곤 했다.

일찍부터 중국 역사의 한 축을 담당했던 산동은 중국에서도 미식의 고장으로 꼽힌다. 춘추전국시대에 노나라와 제나라가 이곳을 중심으로 번성했다. 논밭은 넓었고 바다는 풍요로웠다. 산동의 파와 마늘은 전국에서 유명하다. 특히 신선한 해산물을 이용한 요리도 많다. 즐기는 사람들 말로는 중국 요리치고는 느끼하지 않고 담백한 것이 특징이라고 한다. 북경 요리는 산동 요리를 모태로 북방의 풍습이 섞여 만들어졌다고 한다. 명나라와 청나라 시대 황궁에서 일하는 요리사들 중에도 산동 출신들이 많았다는 말이 설득력 있게 들린다.

⫸ 역사와 전통을 자랑하는 품격 ⫷

똥싱로우(东兴楼)는 1902년에 문을 연 산동 요리 전문점이다. 간판에 뤼(鲁)라는 글자가 보인다. 뤼는 노나라를 말하는데 산동 지방을 부르는 다른 이름이다. 백 년 역사를 자랑하는 팸플릿이 입구에 놓여있다. 쫑화라오쯔하오(中华老字号, 역사가 오래된 가게나 브랜드)라는 글귀가 보인다. 전통 산동 요리의 맛을 제대로 낸다는 자부심이 있는 식당이다. 식재료, 양념 모두 식당 자체의 원칙이 있다. 예를 들면 해삼과 대파를 튀기고 찌는 절차마다 꼼꼼한 기준이 있고, 맛탕 요리를 만들 때는 조리 시간이 2분을 초과하면 안 된다는 규칙 같은 것이라고 동행이 말해준다. 백 년이 넘은 식당답다. 종업원들의 서비스 태도도 인상적이다. 하지만 음식값의 10%를 팁으로 지불해야한다. 회원들은 회원가로 식사할 수 있다. 회원카드도 있다고 들었다.

메뉴판을 열면 또우장이나 쏸나이 앞에 모두 이 식당의 비법이라는 수식어가 붙어있다. 해산물 요리가 많은 것이 눈에 띈다. 해

칭차오샤런

삼과 새우요리가 두세 장이 넘는다. 해삼은 원재료가 비싸서 그 런지 가격이 상당하다. 쉽게 주문하긴 힘들다. 그래서 칭차오샤 런(淸炒虾仁)을 주문했다. 차오(炒)는 볶는다는 뜻이고, 샤런(虾 仁)은 새우살이다. 껍질을 깐 새우살에 채소를 넣고 볶았다. 완두 콩이나 오이를 넣고 볶는다는데, 이 식당은 당근과 샐러리를 넣 어 끈적한 소스를 부었다. 탕수육에 붓는 소스인 줄 알았는데 달 지는 않았다. 해삼보다 비싼 것은 아니지만 88위안(14,960원)이니 싸지는 않다.

간자시아오완쯔(干炸小丸子)도 주문했다. 북경 요리 전문점에도 많이 있다. 북경 요리와 산동 요리의 경계가 모호하다. 여러 번 먹어봤는데, 이 식당은 한두 손가락에 꼽힐 정도로 훌륭하다. 돼 지고기를 잘게 다져서 구슬처럼 동그랗게 빚은 후 튀겨낸다. 그

간자시아오완쯔

래서 완쯔(丸子, 완자)다. 껍질은 바삭거리고 속에 있는 고기는 흐물거리는 식감이 입맛을 홀린다. 찍어 먹는 소스로 세 가지가 나온다. 후추와 간마늘, 중국식 장이다. 동행이 한국의 고추장과 비슷한 맛일 거라고 했는데 쌈장 맛이 난다. 마늘을 찍어 먹으라고 물처럼 갈아주는 것이 특이하다. 파 마늘의 고장답다. 하지만 굳이 양념을 안 찍어 먹어도 된다. 씹히는 질감만으로도 좋다. 수북이 담겨오는 한 접시가 40위안(6,800원)이다.

동행이 추천해 찌아똥위지뚠펀티아오(胶东鱼籽炖粉条)를 주문했다. 산동 특색 요리라고 했다. 찌아오똥(胶东)은 산동 반도에서 바다를 접하고 있는 지역의 이름이다. 이곳은 산동 요리를 다시 지역별로 나눠 해산물이 특징인 지역으로 분류된다. 위지(鱼籽)는 생선의 알이다. 대표적인 것이 우리가 즐겨 먹는 명란이다. 뚠(炖)은 푹 삶는 것을 말하고 펀티아오(粉条)는 당면이다. 생선 알과 당면, 채소를 넣고 푹 삶은 요리다. 오래 조렸는지 약간 짰다. 밥과 먹으면 맛있을 듯하다.

쇼우좌삥(手抓饼)은 밀가루를 튀긴 음식이다. 특별한 맛은 없고 밥처럼 먹는다. 좌(抓)는 꽉 쥔다는 뜻이다. 샨똥바오피빠오즈(山东薄皮包子)도 주문했다. 바오피(薄皮)니까 만두피가 얇다는 뜻이다. 속이 보일 정도로 얇았다. 크기가 주먹만 해서 하나 이상 먹으면 다른 요리를 먹는 데 지장이 있다. 이 식당의 요리는 호불호가 갈리는 편이지만, 쇼우좌삥은 거의 모든 현지인들이 만족하는 요리다.

1. 찌아뚱위지뚠펀티아오
2. 쇼우좌삥
3. 샨뚱바오피빠오즈

≥ 한국과 가까운, 그래서 친근한 ≶

파 마늘을 많이 사용해 우리와 닮은 구석이 많은 산동인데, 이곳에서 나고 자란 인물들은 우리 역사에도 많은 영향을 줬다. 동방예의지국을 강조하며 공자왈 맹자왈 하던 우리 선조들이 좋아했을 법한 지역이다. 공자와 맹자 모두 산동 사람이다. 손자병법을 쓴 손자도, 공맹에 버금가는 사상가였던 묵자도 산동 사람이다. 의식이 족해야 예를 안다고 말한 사람이 공자다. 사상가를 많이 배출한 것을 보니 먹을 것이 풍요로워 생각할 여유가 있었나 보다. 지금 산동은 와인과 맥주, 고량주로 한국인에게 새롭게 다가오는 중이다. 중국에서 처음 와인을 만든 곳도 산동이고 양꼬치&칭다오의 칭다오 맥주도 산동에서 생산된다. 옌타이(煙台, 연태) 고량주는 한국 사람들이 중국집에서 많이 먹기로 몇 손가락 안에 꼽힌다. 연태 고량주는 정작 중국에서는 먹는 사람을 못봤다. 공자의 고향에서 빚었다는 공부가주(公府家酒)를 비롯해 유명한 술들이 많아 산동의 10대 명주를 따로 꼽을 정도다. 그래도 한국 사람들은 연태를 많이 마신다. 음식이든 술이든 이래저래 산동은 한국과 관련이 깊다.

RESTAURANT TIP

东兴楼 dōngxīnglóu

🕐 **가는길**　　　바이두에 검색하면 북경에 4개의 지점이 나온다. 역시 똥쯔먼 지
　　　　　　　　점이 가기에 편하다. 지하철역에서 걸어서 1~2분 거리에 있다.

📍 **주소**　　　北京市 东城区 东直门内大街5号

📞 **전화번호**　　010-84064058

💰 **예산**　　　　똥싱로우를 소개하는 앱이나 사이트를 찾아보면 모두 1인당 100
　　　　　　　　위안(17,000원) 정도로 가격을 제시하고 있다. 실제 두세 명이 가
　　　　　　　　면 체감으로는 그보다 적은 돈이 든다. 일부 해물을 제외하면 가
　　　　　　　　격이 그리 비싸지 않지만 격조 있는 좋은 식당이다.

上海小南国
shànghǎixiǎonánguó

사회주의 접시에 담은
자본주의의 화려한 식탁

상 해 요 리

샹하이샤오난궈

上海小南国
shànghǎixiǎonánguó

≳ 남방의 풍요로움이 준 식탁 ≲

중국에도 지역감정이 있다. 주로 북방과 남방, 북경과 상해를 예로 든다. 중국어 강사가 샤오치(小气)라는 단어를 알려줬다. 인색하다, 쩨쩨하다는 뜻이다. 북방 사람들이 남방 사람들을 말할 때 주로 쓰는 단어인데 강사는 북경 사람이었다. 상해 사람들이 샤오치라며 씩 웃었다. 상해 사람들도 지지 않는다. 북경 사람들은 가진 것 없이 허세만 가득 찼다고 말한다는 얘기를 들었다. 서로를 돈만 알거나 허풍만 떤다고 싫어한다는 얘기였다. 한국인과 함께 사업을 준비하고있는 중국인 친구가 있었는데 북경에선 외국인 명의를 넣어 합작 회사를 만드는 것이 복잡하다며 투덜거렸다. 결국 방법은 남쪽에서 찾았다. 상해에서는 등록이 수월했는데 상해는 개방된 도시라 가능하다고 했다.

대륙은 넓다. 북방과 남방은 오랜 역사를 통해 서로 다른 기질을 형성했다. 북방은 전란의 땅이었다. 수시로 장성을 넘어 남하하는 초원의 후예들이 자주 중원을 차지했다. 한족은 그때마다 나라와 땅을 빼앗기고 더러는 굶주림에 못 이겨 고향을 등져야 했다. 반면 남방은 비교적 안전했다. 장강이 주는 풍요에 더해 1년에도 두세 번씩 곡물을 수확하기에 충분했다. 먹고 사는 문제에서 북방에 비해 자유로웠다. 개혁개방을 거치면서 차이는 더 깊어졌다. 개방의 과실은 주로 남방의 해안에 위치한 도시들에게 1차적으로 돌아갔다. 경제특구로 지정됐고 일찍부터 외국 투자자와 기업이 몰렸다. 상해가 그 대표적인 예인데 상해의 푸동 지구는 중국 경제 성장의 상징과도 같은 존재가 됐다.

먹거리는 삶을 배경으로 한다. 척박한 땅에서는 생존을 위해 먹는다면, 풍요의 땅에서는 맛과 향을 따져가며 젓가락질을 한다. 상해 요리에는 오랜 역사와 현대 중국의 경제 개방을 품은 풍요가 담겨있다. 한동안 '올드 상하이'라는 말이 입에 오르내린 적이 있다. 1930년대 '동양의 파리'라고 불렸던 상해에 대한 향수다. 대륙 전체가 전쟁에 휘말려 들어가던 시절에도 상해의 조계에는 외국인과 중국인들이 어울려 추는 댄스 음악 소리가 요란했다. 이런 상해가 사회주의 신중국 건립 이후 극좌파의 본거지 역할을 했다는 것이 의아할 정도다. 문화대혁명 때 상해는 4인방의 핵심 거점이었다. 상해의 민병들은 스스로 무장하고 대륙을 쥐락펴락했다. 불과 40여 년 전이다. 상해 음식을 전문으로 하는 고급스러운 인테리어의 식당에서 밥을 먹을 때는 올드 상하이의

화려함과 문화대혁명의 붉은 물결이 머릿속을 묘하게 교차한다. 사회주의 접시에 담긴 자본주의 느낌이라고 해야 하나.

상해 요리는 쓰촨 요리와 함께 중국 4대 요리 중에서도 첫손가락을 다툰다. 원래 남방의 중심은 오랫동안 난징(남경)이었다. 남북조 시대는 물론 명나라가 처음으로 도읍을 정한 곳도 난징이다. 그러니 남방 요리의 중심도 난징이었겠지만, 개항 이후 급속하게 몰려든 서양인들은 한적한 어촌이었던 상해를 남방의 대표 도시로 키워냈다. 상해 요리라고는 하지만 따지고 보면 난징을 중심으로 한 남방의 장구한 역사가 녹아있는 요리다. 장강의 드넓은 평야와 태평양으로 흐르는 바다가 주는 풍요가 이 지역 요리를 말할 때 빠지지 않는 수식어다.

⋛ 전통부터 현대까지 ⋚

    미식으로 이름난 곳이니 식당도 많다. 그중 하나가 샹하이샤오
난궈(上海小南国)다. 테이블 간격이 널찍하고 조용한 편이라 비즈
니스 미팅을 하기에도 알맞은 곳이다. 한 마디로 고급진 곳이다.
중국에서 첫손가락을 꼽는 장강이 흘러 바다와 맞닿는 곳이니만
큼 온갖 해산물이 지천이다. 배후의 넓은 산과 들에서 나는 신선
한 채소와 곡류를 마음껏 이용했다. 개항 이후 몰려든 서양 문물
이 섞이면서 한층 더 풍부해졌다. 전통부터 현대식 요리까지 샹

하이샤오난궈는 이 모든 것을 즐기기에 부족함이 없는 식당이다. 많은 한국 사람들이 상해 요리하면 상하이 크랩이라고도 하는 털게 요리를 먼저 떠올린다. 식당 메뉴판도 첫 장은 게가 차지하고 있다. 식재료가 워낙 풍성한 지역이라 재료 본연의 맛을 살리기 위해 간을 세게 하지 않는다는 말을 들었다. 상해 요리는 담백하다는 후기가 많다. 여하튼 메뉴판을 넘기는 것만으로 배가 부르고 행복해질 만큼 가짓수는 많고, 보는 눈이 호강이다.

채소 요리는 난궈슈차이쓰얼라(南国蔬菜色拉)와 지차이차오화차이(荠菜炒花菜)를 주문했다. 슈차이(蔬菜)는 채소를 말한다. 삼겹살이나 훠궈를 먹을 때 나오는 상추와 오이, 쑥갓, 깻잎 같은 채소를 주문할 때 슈차이를 달라고 하면 된다. 쓰얼라(色拉)는 발음에서 짐작 되듯 샐러드를 중국식으로 음역한 것이다. 특이할 것이 없는 채소 샐러드가 노란 꽃 단 하나로 화려해진다. 처음에는 재스민인 줄 알았는데, 꽃 밑에 작은 오이가 달려있다. 시아오황과(小黄瓜)라고 하는데, 꽃과 함께 아삭하게 씹힌다. 눈과 귀, 입으로 모두 먹을 수 있다. 차오(炒)가 볶는다는 뜻이니 차오화차이(炒花菜)는 중국 식당에서 흔히 볼 수 있는 컬리플라워를 기름에 볶아낸 요리다. 하지만 이것도 지차이(荠菜) 하나가 추가되어 남방의 특색 요리가 된다. 지차이는 우리의 봄 식탁의 주인공인 냉이다. 잘게 썰린 냉이를 함께 넣고 볶았다. 동행은 동북이 고향이었는데, 지차이를 남방에서 많이 먹는다고 알고 있었다. 냉이와 생선살을 넣고 수프를 끓인 지차이룽리위껑(荠菜龙利鱼羹) 역

1. 난궈슈차이쓰얼라
2. 지차이차오화차이
3. 지차이롱리위껑

시 별미다. 껑(羹)이 채소나 고기를 넣고 걸쭉하게 끓여내는 국이나 수프를 뜻한다.

상해 식당에서 게와 함께 빠질 수 없는 것이 새우다. 시엔시아 펀쓰빠오(鮮虾粉丝煲)는 알이 굵은 새우를 당면 위에 올렸다. 빠오(煲)는 솥이나 냄비라는 뜻도 있고, 속이 깊은 솥에 넣고 달이거나 졸인다는 뜻도 있다. 작은 뚝배기 밑에 불을 붙여 은근히 졸이면서 먹을 수 있게 나온다. 매운 요리도 하나 있으면 좋을 듯해서 샹라순뚠니우난(香辣笋炖牛腩)도 주문했다. 샹라(香辣)라는 단어에서 알 수 있듯 벌건 국물에 담긴 요리가 나온다. 뚠(炖)은 푹 고다, 삶는다는 뜻이다. 순(笋)은 죽순이고 니우난(牛腩)은 소 양지머리를 말한다. 야들야들하게 삶아진 양지머리 사이로 죽순과 말린 두부피가 차곡차곡 포개져 있다. 죽순은 장제스가 즐겨 먹었다고 알려진 식재료다. 장제스는 대륙을 내주고 타이완으로 쫓겨 와 오래 살았다. 장수의 비결로 죽순을 꼽는 이들도 있다. 그래서인가 타이베이의 명물인 101 디워도 어찌 보면 죽순 모양을 닮았다. 이름에 라(辣)도 있고 색도 벌게서 조심스럽게 한 수저 떴는데, 생각보다 향도 강하지 않고 매운맛도 체감상 중간 이상을 넘지는 않았다. 쓰촨이나 후난의 매운맛에는 비할 바가 못된다. 오래 끓였는지 양지머리가 입속에서 절로 부서지는 느낌이 있다.

단맛을 좋아한다면 탕추샤오페이(糖醋小排)도 먹어봄직하다. 짜장면 탕수육이 우리 중국 음식의 대명사지만 정작 중국에 없다

1. 시엔시아펀쓰빠오
2. 샹라순뚠니우난

2

는 것쯤은 많은 사람들이 안다. 우리 탕수육과 그나마 비슷한 맛을 찾고 싶으면 메뉴에서 탕추(糖醋)를 찾으면 된다. 단어를 그대로 풀면 설탕과 식초이니 새콤달콤한 맛이다. 발음도 얼추 비슷하고, 탕추리지(糖醋里脊)라는 요리를 시키면 간장, 설탕, 식초로 간을 한 고기가 나와 우리 입맛에 잘 맞는다. 샤오페이는 작은 돼지 갈비다. 한입에 쏙 들어갈 작은 크기로 썰었다. 뼈만 골라내 수박씨 골라내듯 내뱉는 재미가 있다. 뜨겁지 않고 차게 식혀서 나온다. 메뉴판의 분류도 렁차이(冷菜, 찬 음식)에 들어있다. 샹하이샤오난궈에서 '물은 셀프'다. 한국에서야 익숙한 풍경이지만, 중국은 다르다. 그래서 현지인들은 종종 볼멘소리를 한다.

주식으로는 총요우빤미엔(葱油拌面)과 롱탕지차이로우훈툰(弄堂荠菜肉馄饨)을 시켰다. 파를 넣고 남방에서 많이 쓰는 기름을 넣은 볶음면인 총요우빤미엔은 일반 중국 식당에서 어렵지 않게 볼 수 있다. 그리고 훈툰이다. 북방에서 지아오즈를 먹으면 남방에서는 훈툰을 먹는다는 말을 메뉴판에 써 놨다. 하지만 북방에서도 훈툰을 많이 먹는다. 특히 동지 음식으로 알려져 있는데 추운 겨울날 아침엔 뜨거운 국물이 요긴해 훈툰이 제격이었다. 유래가 재밌다. 흉노족의 등쌀에 못 견딘 한족들이 얇은 밀가루에 고기를 싸서 흉노족이라고 생각하고 씹어 먹었다는 것이 유래다. 흉노족의 수장이 훈씨와 툰씨라 훈툰이 됐다는 얘기다. 유래만 보면 북방 음식이다. 여튼 얇은 만두피 속에 냉이와 고기를 버무려 소를 만들어 충실하게 넣었다. 롱탕(弄堂)은 골목, 작은 거리

1. 탕추샤오페이
2. 총요우빤미엔
3. 롱탕지차이로우훈툰

라는 뜻이다. 길거리 음식을 표방했다지만 맑은 간장 국물과 훈
툰을 빚어낸 솜씨가 고급스럽다. 음식이 조금씩 남았는데, 동행
은 훈툰만 포장해 갔다. 밤에 생각이 날 것 같다는 이유였는데,
과연 밤이 되니 낮에 먹은 훈툰 생각에 침이 고이긴 했다.

⑀ 디저트의 달콤함 ⑀

중국에는 남방과 북방의 차이를 설명하는 많은 말이 있다. 난
아이베이까오(南矮北高), 남방 사람은 작고 북방 사람은 크다는
뜻이다. 난메이베이미엔(南米北面)은 남방이 쌀을 먹을 때 북방
은 밀을 먹는다는 뜻이다. 난판베이치(南繁北齐)도 있다. 남방은
번잡한데 북방은 가지런하다는 말이다. 하나만 덧붙인다면 북방
은 디저트가 소박한데, 남방은 디저트가 화려하다는 말을 만들고
싶다. 타이완이나 홍콩, 광동 음식점은 때론 디저트 먹는 맛에 갈
정도다. 주객이 전도되어 디저트 먹는 비용을 더 낼 때도 있다.
상해도 마찬가지다. 배부른 사람의 의식을 잃게 만드는 형형색색
디저트의 유혹이 상당하다. 홍또우샤위엔즈(红豆沙圆子)는 우리
의 팥죽 같은 느낌이고, 헤이양쑤쉐이징탕퇀(黑洋酥水晶汤团)은
팥죽 속의 새알 같은 탕위엔(汤圆)이 압권이다. 끈적끈적한 찹쌀
을 헤집고 들어가면 검은깨와 설탕을 버무려 놨는데 달콤함에 사
르르 녹는다. 역시 디저트는 남방이다. 디저트에 담겨 있는 남방

1. 훙또우샤위엔즈
2. 헤이양쑤쉐이징탕퇀

의 풍요가 느껴진다. 일찍 개항해 외국 문물을 받아들이고 경제
개방에서도 가장 앞에 섰던 상해는 그 상징과도 같은 도시다. 이
런 배경을 알고 메뉴판을 보면 다채로운 음식 하나하나에 한 번
쯤 더 고개를 끄덕이게 될지도 모른다.

上海小南国 shànghǎixiǎonánguó

⏱ **가는길**
북경에는 총 8개 지점이 있다. 본점이 있는 상해에는 44개나 되는 지점이 있고 시안, 랴오닝, 산시성, 푸젠성 등 전국적으로 약 100여 군데의 지점이 있다. 아래 주소는 베이징 더플레이스라는 세계무역센터 3층에 있는 지점이다.

📍 **주소**
北京市 朝阳区 光华路9号 中骏 · 世界城 3층

📞 **전화번호**
010-65872677

🏮 **예산**
가격이 사악한 것이 단점이다. 훈툰이 39위안(6,630원)인 것을 보면 알 수 있다. 과일 주스는 한 잔에 30위안(5,100원)을 넘는다. 하지만 방법은 있다. 각종 소셜앱에 우리로 치면 공구 비슷한 할인권이 많이 올라와 있다. 주로 따종디엔핑(大众点评)을 많이 이용하는데, 198위안(33,660원)에 2~3인이 여러 가지 요리를 맛볼 수 있게 구성해 놓은 것을 구매했다. 요리 한두 개를 추가해서 먹으면 분명 남는다. 중국 식당으로는 흔치 않게 팁 10%를 추가로 받는다는 점도 사전에 알아둬야 한다.

海碗居

hǎiwǎnjū

북경 식탁의 정수,
짜장면의 원조를 찾는 식탁

북경요리

하이완쮜

海碗居
hǎiwǎnjū

⟩ 북경의 대표 요리는 뭘까? ⟨

나는 서울에서 나고 자랐다. 40년이 넘는 시간을 이곳에서 보
냈다. 문득 서울을 대표하는 음식이 뭘까라는 생각이 들었다. 딱
히 생각이 나지 않는다. 다른 지역이야 줄줄 읊을 수 있다. 호남
은 조선 제일가는 곡창에 바다를 끼고 있다. 백반만 시켜도 상다
리가 부러진다는 지역이다. 전주의 비빔밥과 콩나물국밥, 목포의
홍어, 벌교의 꼬막. 당장에 아른거리는 음식들이 한둘이 아니다.
영남, 충청, 강원도 마찬가지다. 부산의 돼지국밥과 밀면, 통영의
생굴, 포항의 과매기, 하동 재첩, 단양의 쏘가리, 초당 순두부.
특히나 먹방이 한창이어서 그런지 전국의 맛집이 낯설지 않다.
그런데도 서울은 뭔지 영 가물가물하다. 등잔 밑이 어두워도 한
참이나 깜깜하다. 검색해보고야 알았다. 서울의 향토 요리로 설
렁탕을 꼽는다는 것을.

1. 5백 년 동안 명나라 · 청나라 두 왕조의 통치가 이곳 자금성에서 이루어졌다.
2. 하이완쮜라는 식당 이름에서 '완'은 큰 사발을 의미하는데 입구에서부터 사람 키만 한 사발이 손
   님을 맞는다.

북경에서도 마찬가지였다. 북경 오리구이야 여행 오는 거의 모든 한국 사람들이 알 정도로 유명하다. 하지만 오리구이를 빼면 북경 요리는 뭐지? 라는 질문에 자신 있게 답할 수 있는 사람이 몇이나 있을까 싶다. 북경은 몽골이 대륙을 집어삼킨 이후 주욱 대륙의 수도였다. 명도, 청도 같은 황궁을 사용했다. 자금성이다. 북경 요리의 특징으로 황궁에서 흘러나온 궁중 요리를 빼놓지 않는 것은 당연하다. 하지만 역사가 황실의 전유물은 아니었을 테니, 북경 요리하면 떠오르는 무언가 특색 음식이 궁금했다. 동행에게 부탁했더니 주저 없이 손을 잡아 이끈다. 춘절 연휴에 간 적이 있는데 대기 번호표로 85번을 받았다고 한다. 한 시간을 기다렸다가 먹었다며 웃는다. 그만큼 인기 있는 식당이다. 본점이 워낙 사람이 많을 것 같아 일부러 분점을 찾아갔다.

⟫ 짜장면의 원조 자장미엔 ⟪

동행이 데려간 곳은 하이완쥐(海碗居)다. 완(碗)은 사발을 말하는데 식당 이름의 뜻을 물으니 '하이완(海碗)', 바다처럼 큰 그릇이란다. 농담인 줄 알았는데, 실제로 사전에 '매우 큰 그릇, 특대 사발'로 나온다. 우리의 청자처럼 푸른 염료를 입혀 구워낸 도자기라는 뜻도 있다. 과연 식당 입구에 들어서자마자 사람 키만 한 사발을 볼 수 있다. 푸른색 무늬를 품고 매끈하게 구워냈다. 간판 밑에는 라오베이징자쟝미엔따왕(老北京炸醬面大王)이라고 쓰여 있다. 오래된 북경 짜장면 식당이라는 뜻이다. 드디어 자쟝미엔 (炸醬面)이다. 자쟝미엔이 바로 북경을 대표하는 요리였다.

한국에서 중화요리는 단연 짜장면이다. GOD의 노래에도 나온다. '어머님은 짜장면이 싫다고 하셨어' 어렵던 시절에 요긴한 한 끼가 되어준 짜장면에는 한국인의 희로애락이 담겨있다. 배달을 통해 가장 손쉽게 만날 수 있기도 했다. 짜장면 시키신 분을 찾아 지리산 꼭대기와 마라도를 누비던 광고를 아직도 기억한다. KBS 구내식당에선 토요일 점심에 꼭 짜장면이 나왔다. "이번 주에는 짜장면 먹어야 하네"라며 주말 근무를 해야 하는 상황을 빗대 말하곤 했다. 소울푸드나 다름없는 위상을 가진 짜장면이기에, 중국을 찾는 많은 한국인들이 중국의 짜장면은 어떨까라는 호기심 반 기대 반으로 식당을 찾는다. 물론 한국 짜장면과 중국 자쟝미엔이 다르다는 것쯤은 많이들 알고 있다. 쏟아지는 먹방에 짜장면에 대한 다큐멘터리까지 있을 정도이니, 한국 짜장면이 산동성 출신 화교들이 한국식으로 바꾼 맛이라는 것쯤은 상식이다.

짜장면의 원조는 북경이다. 징차이(京菜)라고 하는 북경 요리를 내세우고 있는 식당들은 어김없이 자쟝미엔을 판다. 이네들은 자쟝미엔(炸醬面, 작장면)이라고 쓴다. 작(炸)은 튀긴다는 뜻이고, 쟝(醬)은 우리 짜장면에 들어가는 춘장 같은 발효 된장이다. 중국식 된장인데 춘장과는 다르다. 단맛이 없고 짜다. 메뉴판에는 여러 종류의 자쟝미엔이 있다. 그중 하나인 로우딩샤오완간자(肉丁

식당을 찾은 손님들은 모두 자장미엔을 한 그릇씩 기본으로 먹고 있다.

小碗干炸)를 주문했다. 딩(丁)은 깍두기 썰 듯이 네모반듯하게 써
는 것을 의미한다. 로우딩(肉丁)은 고기를 썰어 넣었다는 뜻이다.
샤오완자(小碗干炸)는 쟝을 만든 방법으로 이해하면 쉽다. 고기를
넣고 볶아낸 쟝이다. 주변을 둘러보니 너나 할 것 없이 모두 자쟝
미엔을 기본으로 시키는 분위기다. 1인당 자쟝미엔 하나에 여럿
이 먹을 요리 한두 개를 시키면 배부를 거라고 동행이 일러준다.

식당 인테리어도 옛날 북경 전통 가옥인 사합원 분위기이고, 룸
이름도 모두 북경의 유명한 관광지. 식당에 들어가면 중국 전통
옷을 입고 흰 수건을 어깨에 걸친 종업원들이 목청껏 뭐라 뭐라
외친다. 자세히 들으면 "라이러 닌나! 리삐엔칭(来了您吶! 里边请,
오셨습니까, 들어가세요)"인데 워낙 큰소리에 리듬이 겹쳐서 되려
알아듣기가 힘들다. 오래된 드라마 세트를 방문한 느낌도 든다.

주문하자 음식이 바로 나온다. 따뜻해 보이는 수타면이 작은 접시에 담겨 야채와 함께 나온다. 종업원이 꺼리는 야채가 있냐고 묻고는 없다고 하자 바로 면 위에 모두 붓는다. 완두콩, 노란콩, 숙주, 파, 오이를 면 위에 수북이 얹은 다음에 장을 더한다. 양은 한국의 짜장보다 훨씬 적다. 장이 골고루 묻도록 비빈 후에 한 젓가락 힘차게 들어 올렸다. 중국 자장미엔은 말 그대로 짜다는 말을 많이 들었는데, 걱정했던 것만큼 짜지는 않다. 되려 약간 구수한 맛도 난다. 잘 안 비벼진 장을 뭉치로 먹을 때만 짜다는 말이 실감 나는 정도다. 면이 훌륭하다. 수타면 특유의 쫄깃함이 살아있다. 면 삶은 물을 식탁 위에 한 대접 놓아준다. 물 대신 먹으란 소리다. 양도 만만치 않아 한 그릇을 모두 먹으면 사실 다른 요리를 먹기가 버거울 정도다. 듬뿍 담아낸 한 그릇이 26위안이다. 먹어보니 우리 짜장면과의 차이를 확실히 알 것 같다. 한국의 춘장은 이런 중국식 된장에 캐러멜을 넣은 것이다. 당연 단맛

중국식 된장과 야채를 듬뿍 넣고 비빈 자장미엔

이 강하다. 생야채도 오이 정도만 얹는데 비해 중국 자장면은 각종 생야채를 듬뿍 넣어 먹는 차이가 있다. 심지어 식탁 위에 생마늘이 있어 궁금했는데, 기호에 맞게 자장면에 얹어 먹으라고 놓아둔 것이었다. 한국에서 유학한 중국인 동행에게 한국 짜장면과 중국 자장미엔 중 뭐가 맛있냐고 물었다. 둘 다 맛있단다. 정답이다. 다른 중국 친구들과 한국 짜장면을 먹을 기회가 있었는데, 누군가 우한 지역의 명물인 르어깐미엔(热干面)과 비슷하다는 말을 했다. 땅콩과 참깨가 주재료인 마장을 볶아서 면 위에 올렸는데 맛보면 짜장면 생각이 나긴 한다.

≳ 튀기고 볶고 짜고 달고 ≲

메뉴판에 징차이(베이징 요리)라고 쓰여 있는 요리들을 시키지 않을 수 없나. 간자윈즈(丁炸丸子)를 주문했다. 완즈(丸子)는 우리 완자를 생각하면 된다. 간 돼지고기를 동그랗게 빚어 튀겼다. 자장미엔에도 자(炸)를 썼는데, 완자 요리에도 같은 글자를 썼다. 북경 요리가 유독 튀긴 음식이 많다는 얘기다. 북방의 춥고 거친 날씨를 견디려면 열량이 많이 필요해 튀긴 음식이 발달했다는 설명이 된다. 후추와 소금을 섞어 함께 내온다.

징쟝로우쓰(京酱肉丝)는 이연복 셰프가 TV에서 선보인 후 연복쌈으로 알려지기도 했다. 우리식 한자음으로 경장육사라고 읽

1. 간지완즈
2. 징장로우쓰

는데 동네 중국집 메뉴판에서도 볼 수 있다. 쉽게 얘기하면 돼지고기를 중국식 된장에 볶은 요리다. 우선 돼지고기를 곱게 채를 썬다. 로우쓰(肉丝)다. 쓰(丝)는 메뉴판에서 자주 보는 글자다. 실같이 가느다란 가닥을 말한다. 채 썬 고기는 장에 볶는다. 접시에 역시 잘게 썬 파를 깔고 그 위에 볶은 고기를 얹는다. 밀가루를 반죽해 얇게 펴서 구운 춘삥(春饼)을 같이 내오는데 춘삥 위에 파와 고기를 얹어 싸먹는다. 장에 볶은 고기라 따로 소스를 찍어 먹을 필요는 없다. 건두부에 싸먹기도 하는데, 북경 오리구이 먹는 방법과 비슷하다. 짭짤한 볶은 고기에 파의 청량감이 조화롭게 겹친다. 한국 사람이면 열에 아홉이면 만족해 할 만한 맛이다.

짜장면에는 탕수육이다. 중국에 짜장면이 없는 것처럼 탕수육역시 없다. 하지만 마찬가지로 대체할만한 요리가 있다. 탕추리지(糖醋里脊)다. 탕(糖)은 설탕이라는 뜻이다. 추(醋)는 식초다. 달콤하고 새콤한 맛이다. 간혹 영어가 함께 표기되는 메뉴판에는 직역해서 'Sweet and Sour Pork'라고 쓰어 있는 것을 봤다. 리지(里脊)는 등심을 말하는데 리(脊)라는 단어가 등뼈, 척추라는 의미가 있다. 우리 탕수육처럼 걸쭉한 소스에 푹 담가 나오는 것은 아니지만, 돼지고기 등심을 튀긴 후에 새콤달콤한 소스를 입힌 것이 얼추 비슷하다. 탕수육의 사촌쯤 된다.

북방의 음식이라지만 튀김과 고기 요리로만 식탁을 채울 수는 없어 량차이(凉菜, 야채 요리)도 시켰다. 종류는 제법 많지만 북경특색인 것은 없었다. 지단뽀어차이(鸡蛋菠菜)를 주문했다. 계란과

1. 탕추리지
2. 지단뿌어차이
3. 완또우황
4. 꽌창
5. 또우즈와 찌아오취엔

시금치를 볶은 것인데 무난하다.

샤오츠(小吃)는 가벼운 음식, 간단한 식사, 간식쯤으로 번역할 수 있다. 식당에는 징차이 특유의 베이징샤오츠(北京小吃) 메뉴가 많이 있다. 북경 전통 간식인데, 가격대도 20위안(3,400원)을 넘지 않아 부담 없이 몇 개 즐길 수 있다. 완또우황(豌豆黄)은 노란색 떡 같은 모양이다. 완또우(豌豆)는 완두다. 완두를 삶은 후 물기를 빼고 설탕을 넣어 쪄서 만드는데, 달착지근하다. 양갱에 가깝다. 중국에서는 음력 3월 3일, 삼짇날 주로 먹는데, 북경의 대표적인 전통 간식이다. 꽌창(灌肠)은 소시지다. 마늘을 섞은 묽은 소스를 함께 주는데 찍어 먹는다. 쫄깃한 식감이 영락없는 술안주다. 또우즈(豆汁)와 찌아오취엔(焦圈)도 북경의 특색 있는 간식이라는 동행의 권유에 주문해봤다. 찌아오(焦)는 '바삭바삭하다, 마르다'라는 뜻이다. 찌아오취엔은 바삭하게 튀긴 고리 모양의 밀가루 음식인데, 또우즈(콩즙)에 찍어 먹는다. 중국 사람들이 아침으로 먹는 또우장에 요우티아오와 비슷하다. 하지만 또우즈가 영 입맛에 맞지 않았다. 한 대접 가득 나오는데 시큼한 맛에 먹기 힘들 정도였다. 콩국이 상하면 이런 맛이 나겠구나 싶을 정도였다. 찌아오취엔도 기름 맛에 느끼하고 텁텁했다. 메뉴판의 사진은 먹음직스러워 보였는데, 실물은 달랐다.

튀기고 볶고 짜고 달다. 요즈음 말하는 웰빙이나 건강식하고는 약간 거리가 있어 보이는 것이 북경 요리다. 하지만 여기에도 나름대로 이유가 있을 테다. 모래 섞인 찬바람이 불어대는 황량한 대지를 일궈야 했던 사람들이 택한 나름의 생존 방법이었을 것이다. 당시처럼 척박한 자연과 직접 몸으로 부대낄 일이 적어졌으니 또 그에 맞게 진화해나가지 싶다. 마찬가지로 쌀이 귀한 땅이라 밀가루 음식이 발달했는데, 자장미엔도 그 연장선에 있다. 그 짠 면이 어느 순간 바다를 건너 한반도에 상륙했고 대한민국의 국민 먹거리가 되었다. 그 루트를 잘 살피는 것만으로도 한중의 얽히고설킨 역사를 몇 장은 써 내려갈 수 있다. 군대에서 휴가를 나오면 지독하게 먹고 싶은 것 중의 하나가 짜장면이다. 인이 박혀서 그런가 싶은데, 북경을 떠나면 언젠가 가끔 생각날 맛도 북경 자장미엔일 듯하다.

海碗居 hǎiwǎnjū

🕐 **가는길**

북경 시내에 지점이 10곳이 있다. 본점은 그야말로 인산인해다. 의자도 등받이가 없고 재래시장의 간이 식탁 같은데 앉아서 먹는다. 옛 청나라의 복장을 한 종업원들이 쉴 새 없이 고함을 쳐댄다. 이곳에서는 종업원들의 대단한 친절을 기대하지 않는 것이 좋다. 시끌벅적한 것이 조금만 떨어져 앉아도 음식을 먹으면서 대화가 불가능할 정도다. 본점보다는 여러 지점 중의 한 곳을 권하고 싶다. 지점이 많다. 정법대학 근처 무딴위엔(牡丹园) 지점에 갔었다. 추이웨이 백화점(翠微大厦) 건물 북쪽에 있다. 지하철 10호선 무딴위엔(牡丹园)역 A출구로 나오면 된다.

📍 **주소**

北京市 海淀区 花园路2号

📞 **전화번호**

010-82070488

🍴 **예산**

자장미엔은 20위안(3,400원)~30위안(5,100원), 요리는 40위안(6,800원) 안팎을 생각하면 된다. 자장미엔을 먹기 위해 찾는 식당이기 때문에 요리를 많이 시키면 분명 남는다. 두 명이 200위안(34,000원) 안쪽에서 배를 두드리며 먹고, 남은 것은 포장해 갈 수 있다.

金狮麟
jīnshīlín

천년 고도,
중원의 맛과 역사를
탐험하는 식탁

金狮麟
jīnshīlín

᠈ 뤄양, 황하가 만든 대지 ᠄

삼국지로 중국을 배운 사람들이 종종 있다. 가장 익숙한 지명 중의 하나가 낙양이다. 동탁이 불을 지르고 어린 황제를 납치하다시피 해 장안으로 도망칠 때까지 뤄양(洛阳, 낙양)은 중화문명의 역사를 고스란히 간직한 천년 고도였다. 불탄 궁궐의 재를 치우다 우물에서 옥새를 발견한 전국의 영웅들이 저마다 뤄양에서 받은 계시라며 황제를 꿈꾸는 대목이 있다. 뤄양에 발을 들이는 것만으로도 천하제패라는 단어가 떠오를 정도로 당시 중국의 중심이었던 곳이다. 도도히 흐르는 황하를 끼고 있는 뤄양을 중원이라고 하는 이유다.

뤄양을 중심으로 하는 허난 요리 전문점도 북경에 여러 곳이 있다. 허난(河南, 하남)에는 뤄양만 있는 것은 아니다. 군사력이 약해 북방 민족인 금나라와 원나라에 차례로 유린당했지만, 화려

한 문화를 꽃피웠던 송나라의 수도였던 카이펑(开封, 개봉)도 허난성에 있다. 황화가 만들어준 대지에서 거두는 풍요가 허난 요리의 바탕이 됐다. 반면에 그 풍요 때문에 항상 북방 이민족의 침략 앞에 놓이기도 했다. 역사가 생긴 이래 중국의 중심이었고, 수나라 때는 중국 총인구의 1/5이 모여 살았다고 하는 중원이지만, 지금은 정치의 중심지인 북경이나, 경제의 중심지인 남방에 비하면 약간 쇠락한 느낌이 있다.

뤄양을 찾으면 먼저 황하가 눈에 들어온다. 강 주변의 진입로를 잘 정리해 놓은 곳들이 많아 손쉽게 다가갈 수 있다. 황하는 탁하고 누런빛으로 수천 년을 묵묵히 흐르고 있는데, 강을 벗 삼아 터전을 일군 인간 군상은 쇠락을 거듭하고, 그 흔적이 역사로 남았다. 그러나 지금은 그 쇠락마저 찾아보기가 힘들다. 역사 속의 거인들이 일궜던 화려한 모습을 찾을 길이 없는 뤄양 구시가 지를 걷다 보면, 옛 영화와 함께 흘러가버린 역사에 대해서도 묘한 감상에 젖게 된다. 지금의 뤄양은 인구로 보나 규모로 보나 허난성 내에서도 정저우와 카이펑에 밀리는 도시다.

그럼에도 허난 요리에서 뤄양이라는 단어를 빼놓을 수 없는 이유는 천년 고도라는 타이틀이 주는 아우라 때문이다. 중원이라는 말은 북경이나 상해보다는 뤄양 같은 옛 도시에 어울린다. 허난 요리도 중국의 중앙에 위치한 지리적 특성 때문에 남과 북의 특성을 골고루 갖고 있다는 설명을 들은 적이 있다. 따지고 보면 남과 북으로 뻗어나간 원류도 결국 중원일 것이다.

⟩ 갖가지 중원의 맛 ⟨

허난 지역을 간략하게 부르는 명칭인 위(豫)라는 글자가 쓰여 있는 식당을 찾으면 중원의 맛을 찾을 수 있다. 진싀린(金狮麟)은 그런 식당 중의 하나다. 싀린싼쩡(狮麟三蒸)을 시키면 삼색의 야채 볶음이 나온다. 기름을 살짝 두르고 감자, 당근, 쑥갓을 볶았는데, 흰색, 주황색, 초록색이 정갈하게 담겨 나와 보는 맛이 있다. 다른 중국 요리와 마찬가지로 허난 요리도 기름을 많이 쓴다. 심지어 쌀을 기름에 튀기거나 볶아서 밥으로 하기도 한다. 지금은 건강에 대한 관심이 높아지면서 이런 조리법이 많이 줄어들긴 했다.

식린싼쩡

짠직헤이또우푸(沾汁黑豆腐)를 종업원이 추천한다. 허난은 두
부를 많이 먹기로 유명한 지역이다. 허난성 롼촨(欒川) 현은 중국
의 두부 마을로 불리는데, 두부에 대한 이벤트가 대륙의 거대한
사이즈를 보여준다. 1만 명의 관광객들이 모여 단체로 두부를 먹
는다든지, 5톤이 넘는 두부를 만든다든지 하는 행사를 하는데 뉴
스에 소개되는 날에는 웅장함마저 느낄 수 있다. 짠(沾)에는 적
신다는 뜻이 있다. 이 식당의 비법 소스에 적신 흑두부라는 뜻인
데, 갓 만든 듯한 검은 두부가 나온다. 장이 함께 나와 찍어 먹으
면 된다. 진식린의 요리 중에는 가격이 상당한 것들도 있고, 맛
에 대한 호불호도 갈리는 편이다. 하지만 이곳의 두부 요리는 중
국인들도 모두 인정한다. 가격도 적당한 편이다. 또우토우차오펀

1. 짠즤헤이또우푸
2. 또우토우차오펀티아오

티아오(豆头炒粉条)라는 요리도 주문했는데, 콩나물과 파, 당면을
볶은 음식이다. 우리로 치면 잡채 비슷하다.

고기 요리가 있어야 할 것 같아 추천해달라고 하니 샨야오차오
니우로우(山药炒牛肉)를 일러준다. 샨야오(山药)는 고구마 또는
마를 말한다. 소고기를 마와 함께 쪄냈는데 우리에게 익숙한 맛
이다. 가격이 꽤 비쌌다. 하지만 소고기보다 맛있었던 것은 평범
한 국수와 빵이었다. 허난 요리 식당에 가면 꼭 시켜 먹어야 하는
것이 후이미엔(烩面)이다. 보통 정저우라는 도시가 앞에 붙는 정
저우후이미엔(郑州烩面)이 가장 유명하다. 뜨거운 양고기 육수에
듬뿍 말아 나오는 국수가 일품이다. 중국에서 오래 유학 생활을
한 지인은 해장으로 딱이라며 엄지손가락을 추켜세운다. 우리도
이름을 알고 있는 당 태종 이세민이 황제가 되기 전 피난길에 회
족에게서 얻어먹은 국수에서 유래했다는 뒷얘기도 있다. 그 진한
육수와 개운한 맛을 잊지 못한 이세민이 황실에서도 즐겨 먹었다
고 한다. 고수를 듬뿍 넣어 주는데, 불편한 사람은 미리 말을 해야
한다. 뜨거운 육수에 반해 모든 메뉴 중에 가장 집중해서 먹었다.
까오루샤오빙(高炉烧饼)도 뜻밖에 맛있는 수확이었다. 루(炉)는 용
광로, 화덕이라는 뜻이다. 뜨겁게 구운 빵이라는 소리인데, 반으
로 잘라져 있다. 사이에 끼워서 먹으라고 짭짤한 야채볶음을 같이
준다. 샌드위치처럼 끼워서 먹는데, 입맛을 다시며 먹었다. 샤오
빙과 후이미엔만 있어도 훌륭한 한 끼로 부족함이 없다.

1. 산야오차오니우로우
2. 후이미엔
3. 까오루샤오빙
4. 까오루샤오빙과 함께 먹으라고 나오는 야채볶음

﹥ 허난 특색 요리 ﹤

고우치홍자오산야오즤

허난의 특색 요리를 먹고 싶다고 채근하니 종업원이 하나 더 일러준다. 고우치홍자오샨야오즤(枸杞红枣山药汁)라는 이름인데, 그대로 번역하면 된다. 구기자(枸杞), 대추(红枣), 마(山药)를 갈아서 만든 허난성 특색 음료라고 한다. 걸쭉하다. 음식을 다 먹고 마시기에는 배도 부르고 약간 부담스럽다. 사실 이 음료만 먹어도 될 듯하다. 맛과는 별도로 가격도 상당해 약간 후회했다.

허난 요리는 중원의 요리다. 역사의 요리인 만큼 뒷얘기가 풍부하다. 특색 있는 요리는 역사 속의 인물이나 사건이 함께하는 경우가 많다. 뤄양에 가면 우황수이시(武皇水席)라는 요리가 있다. 코스 요리인데 24가지 음식이 나온다. 우황(武皇)은 중국 역사의 한 페이지를 장식한 여황제 측천무후다. 측천무후가 황제가 될 것을 예견한 점성술사가 황실 주방장과 만든 요리들이라고 하는데, 뤄양의 최고 요리로 꼽힌다. 오랫동안 중국의 중심 역할을 했던 자부심과 스토리가 허난 요리 곳곳에 묻어있다. 역사책에서 접했을 법한 구절들을 한 번쯤 맛으로 느껴 볼 것을 추천한다.

金狮麟 Jīnshīlín

가는길
북경에 3곳의 지점이 있다. 내가 방문한 곳은 정법대학교 근처의 베이타이핑주앙(北太平庄)점이었다. 안양, 카이펑, 정저우 등 허난성 주요 도시들에도 많이 있다.

주소
北京市 海淀区 北三环中路40号 54号楼 201호

전화번호
010-82081010

예산
입구에는 안내하는 종업원들이 유니폼을 맞춰 입고 도열해 있다. 친절하고 설명도 잘해준다. 서비스로 유명한 식당이다. 종업원들이 식재료는 물론 요리를 만들게 된 배경까지 열심히 설명해준다. 서비스 교육이 철저하구나라는 생각이 든다. 서비스에 대한 만족은 가격으로 돌아온다. 다른 중국 식당에 비해 비싼 편이다. 둘이서 이것 저것 골라 먹다 보니 400위안(68,000원)이 나왔다.

Part.2

북경 속
이국의 맛

巴依老爷

bāyīlǎoye

실크로드로 넘어가던 이국의 땅,
이국의 맛

신장위구르 요리

빠이라오예

巴依老爷
bāyīlǎoye

⟩ 신장, 중국이되 중국 같지 않은 땅 ⟨

중국은 좌우로 넓게 퍼져 있어 대략 다섯 개의 시간대에 걸쳐있
지만 전 지역이 단일 시간대(베이징을 기준으로 한 시간대: 한국보다
1시간 느리다)를 쓰고 있어 지역에 따라 해 뜨는 시간도 지는 시간
도 일상과 맞지 않는다. 주민들은 알아서 조상 대대로 써오던 시
간에 맞게 밥을 먹고 잠을 잔다. 드넓은 중국 대륙에서 중국이되
중국 같지 않은 땅, 우리가 신장 위구르라고 알고 있는 그곳이다.
위구르가 중국의 영토로 편입된 역사는 짧다. 그보다 훨씬 긴 시
간을 그들은 초원의 제국으로 살았다. 말 달려 지나가는 유목민
의 땅이었지 눌러 앉아 농사를 짓는 이들의 숫자는 적었다. 언젠
가 그 벌판 위에서 수백 명이 일제히 말을 달리는 영상을 본 적이
있는데, 초원을 덮는 자욱한 흙먼지가 장관이었다. 전사들의 거
친 말발굽이 스쳐가던 길로 상인들이 낙타 고삐를 잡았다. 바로

실크로드의 시작이다. 오랜 중국 역사에서 주로 서역으로 불렸고, 동서양이 교차하는 외길이 뻗은 땅이었다. 그래서 그들의 생김새나 옷 입는 방법 등은 다른 중국 지역과는 완연히 다르다.

훗날 중원을 차지한 만주족이 이곳에 눈독을 들였다. 신장(新疆)이라는 단어 자체가 새로운 국경이라는 뜻이다. 지금은 중국에서 가장 큰 지방으로 중국 영토의 1/6을 차지하고 있다. 신장 자체만으로 8개 국가와 국경을 맞대고 있다. 키르기스스탄, 아프가니스탄, 파키스탄, 카자흐스탄, 타지키스탄 등이다. 신장은 중국보다 오히려 그들을 닮았다. 신장의 주인인 위구르족은 여러 차례 동투르키스탄이라는 이름의 독립 국가를 세우려다가 유혈 사태를 겪었다. 아직도 이들은 고유의 글자를 쓰고, 조상들이 섬기던 신에게 절한다. 당연 중국 정부의 신경이 곤두서 있다. 취재를 하러 신장에 들어가는 외신들은 번득이는 감시의 눈초리에 숨소리도 조심하게 된다는 땅이다. 역설은 음식에 있다. 아직 자신들의 나라를 갖지는 못했지만, 위구르족은 아이러니하게 이국적인 맛으로 대륙의 한족을 홀렸다. 지금은 베이징 골목 구석에서도 흔하게 볼 수 있는 양꼬치가 바로 신장의 음식이다.

신장 음식은 바로 이 양에서 시작한다. 이슬람교를 믿는 신장 사람들은 돼지고기를 먹지 않는다. 무슬림이 대다수인 아랍과 북아프리카, 중앙아시아 사람들은 주로 양고기를 즐겨 먹는다. 물이 귀한 사막과 초원의 자연조건 때문에 양고기를 삶아서 요리하는 것이 아니라, 꼬치에 끼우거나 석쇠에 올려 구워 먹는 것을 즐

종업원들의 전통 복장과 벽을 꽉 채운 기하학적인 이슬람식 무늬가 인상적이다.

졌다는 말을 들은 적이 있다. 이들의 시장에서는 고기를 아이 주먹만 하게 잘리네어 쇠에 꽂은 후 드럼통에 불을 피워 굽곤 한다. 그을음 묻어나는 불길 속의 큼지막한 양고기 토막을 보고 있으면 절로 이들이 유목민의 후예구나라는 생각이 든다. 대륙으로 방향을 돌린 양꼬치는 위구르 사람들과 함께 중국 전역으로 퍼져 나갔다. 퇴근길에 길거리 숯불에서 구워지고 있는 양꼬치에 이끌리는 것은 익숙한 풍경이 됐다. 맥주 한잔 곁들이면 하루를 보상받는 편안함에 우적우적 꼬치를 씹게 된다. 어느새 북경 곳곳에 셀 수 없이 많은 양꼬치 집이 넘쳐난다. 동북의 조선족이 하는 식당도 있다. 하지만 신장의 오리지널 양꼬치를 한 번쯤 먹어 봐야 한다면 가봐야 할 만한 곳이 있다.

⊰ 양꼬치와 국수 ⊱

빠이라오예(巴依老爷) 식당을 찾으면 이슬람 특유의 기하학적인 무늬가 벽을 덮고 있다. 한자와 함께 꼬불꼬불 알아보기 힘든 언어도 쓰여 있다. 빠이(巴依)는 '귀한 사람'이라는 뜻의 돌궐어다. 위구르족은 옛 돌궐족에서 유래했다. 돌궐은 우리 고구려역사에도 이름을 올리고 있다. 그 예전 북방에서 얽히고설켰던 초원의 민족이다. 신장의 음식을 하는 식당은 대부분 그들의 전통 옷을 입는다. 식당에서 일하는 사람들이 모두 신장 사람들이라는 말도 있는데, 사실인지는 모르겠다. 하지만 얼굴에서 확실히 한족이 아닌 티가 나는 종업원들이 많이 보인다. 종업원이 친절했다는 후기들이 특히 많다. 이 모든 것이 더해져 몸은 북경에 있지만, 맛은 신장 고유의 그것을 전한다.

바로 양로우추완(羊肉串), 양꼬치부터 시켰다. 화덕에 구운 빵인 낭도 같이 주문했다. 인도 음식점에서 빼놓을 수 없는 주식으로 난(naan)이라고 알고 있는 빵을 이곳에서는 낭(馕)이라고 한다. 담백한 맛의 플레인 난쯤 되는 바이낭(白馕)을 주문했다. 적당히 바삭한 식감이 일품이다. 뒤이어 양꼬치가 나왔다. 여타 다

1. 양로우추완
2. 바이낭

른 식당과는 다르게 큼지막한 것이 특징이다. 양고기를 꿰고 있는 꼬치도 무협 영화 소품처럼 날카롭다. 많은 양꼬치 집에서 젓가락 같은 길고 가는 꼬치에 고기를 잘게 썰어 꿴 것과는 확연히 다르다. 골목의 꼬치 집에서는 수십 개의 꼬치를 발라내는 현지인들도 이곳에선 두세 개면 배가 부르다고 한다. 신장을 지나 중앙아시아로 들어갈수록 꼬치의 크기는 커진다. 우즈베키스탄에서 촬영을 한 적이 있는데 현지에서는 꼬치구이를 '샤슐릭'이라고 한다. 시장 한복판에서 우리가 군고구마를 구워 팔 듯이, 샤슐릭을 구워 먹는다. 과장을 좀 보태면 긴 칼 같은 꼬치에 감자만 한 양고기를 꽂아 굽고 있었던 것이 기억난다. 식당에서는 매운 것을 선택할 수 있다. 꼬치 하나에 5위안(850원)이라 부담도 없다. 우리 돈 천 원이 안 되니 골고루 양껏 먹을 수 있다.

이곳에서 또 먹어야 하는 것이 하나 더 있다. 바로 국수다. KBS에서 몇 년 전에 방송한 〈누들로드〉라는 다큐멘터리를 기억하는 시청자가 아직 많을 테다. '르 꼬르동 블루'라는 요리학교에서 직접 배운 이욱정 PD의 노작이다. 1편은 인류 최초의 국수를 찾는 여정이다. 지금은 거의 사막과도 같은 황량한 산에서 2,500여 년전 국수의 흔적이 발견됐다. 산속 무덤을 발굴하다가 밀과 좁쌀을 섞어 만든, 둥글고 길이가 짧은 밀가루 음식의 흔적이 나온 것이다. 세상의 모든 국수를 찾는 〈누들로드〉의 출발지였던 그곳은 신장의 투르판 지역이다. 현재 그곳은 숨을 쉬기도 어려운 뜨거운 불모지다. 산의 이름도 화염산이다. 타는 듯한 건조함이 수천

차오미엔피엔

년의 흔적을 고이 간직하게 했다.

방송에는 거칠게 밀을 빻아 '라그만'이라는 국수를 해 먹는 위구르 사람들이 나온다. 인류 최초의 국수를 만들었던 사람들답다. 역시나 식당에는 많은 종류의 면 요리가 있다. 그중, 종업원의 추천을 받아 차오미엔피엔(炒面片)을 주문했다. 미엔피엔(面片)은 수제비를 떠올리면 된다. 수제비처럼 손으로 툭툭 떠낸 것은 아니지만, 넓적하고 얇게 끊어낸 것이 비슷하다. 걸쭉한 소스에 고기와 채소를 넣고 센 불로 조리한 볶음면이다. 가격도 싸 20(3,400원)위안이다. 아마 신장 현지 길거리 노점이었으면 5위안 안팎쯤 했을 법하다.

⋛ 초원의 맛, 그 매력에 빠지다 ⋚

함께 한 한국 유학생이 신장따판지(新疆大盘鸡)도 권한다. 중국 친구들이 한국 음식을 먹고 싶다고 해서 닭볶음탕을 해줬는데, 나중에 이곳에서 비슷한 음식을 발견했다고 웃는다. 실제 거의 비슷한 모양을 한 요리가 나온다. 토막 내 썬 닭고기를 피망과 양파 등 각종 채소를 넣고 볶았는데, 검붉은 빛깔까지 흡사하다. 맛 역시 향의 차이만 있을 뿐이었다. 매운맛이 익숙하지 않은 현지인들은 신장따판지의 맛을 화끈한 맛이라고도 표현한다. 판(盘)은 소반이나 넓은 접시, 세숫대야를 뜻하는 말이다. 따판(大盘)이니까 3~4명이 먹어도 될 만큼 큰 접시에 나온다. 인원수가 적으면 작은 것을 주문한다고 미리 얘기해야 한다. 곁들여 먹는 채소 요리로는 라오추뽀어차이(老醋菠菜)를 골랐는데, 식초에 버무린 시금치가 새콤하니 시원한 맛이 있었다. 추(醋)는 식초라는 뜻이고, 뽀어차이(菠菜)는 시금치다.

입가심은 단연 쏸나이(酸奶)다. 쏸(酸)은 신맛을 뜻한다. 나이(奶)는 '젖'이라는 뜻인데 보통 우유를 가리킨다. 쏸나이는 약간 시큼한 맛이 나는 요구르트다. 메뉴판에 이 식당이 개발한 방식으로 만든 요구르트라고 크게 써 놨다. 마을마다 술을 빚고, 집집마다 요구르트를 만드는 것이 초원을 터전으로 사는 사람들의 오래된 풍습이다. 식탁에 꿀이 있어 조금 뿌려 잘 휘저어 먹으면 달달한 디저트로 그만이다. 특유의 맛을 간직한 쏸나이를 먹으러

1. 신장따판지
2. 라오추뿌어차이
3. 쌴나이

이 식당에 온다며 요리가 나오기 전 미리 주문해 먹는 사람도 있을 정도다.

한국에도 최근 양꼬치 바람이 불고 있다. 조선족이 많이 모여 사는 구로나 대림, 중국 유학생이 많이 모인다는 일부 대학가에서나 보던 양꼬치가 지금은 홍대, 강남 가릴 것 없이 퍼져 나가고 있다. '양꼬치엔칭다오'라며 맥주병을 흔드는 개그맨의 익살스런 표정이 어느덧 우리 옆에 익숙한 북방의 음식을 말해준다. 같은 듯 다른 양꼬치를 맛볼 기회를 얻는다면 의외로 유목민의 식탁에 관심을 갖게 될 수도 있다. 그 흥미가 중국이 아닌 듯 중국인 신장 위구르까지 손님들을 안내할지도 모른다. 조만간 화려한 원색의 전통 옷을 입고, 두툼한 양꼬치를 굽는 신장 사람들을 서울에서 볼 수 있을지도 모르겠다는 생각이 들었다.

巴依老爷 bāyīlǎoye

🕐 가는길

북경에만 19개의 지점이 있다. 북경에서 가장 '핫'하다는 싼리툰 공인체육관 근처에도 있다. 칭화대 옆에 있는 칭화똥먼점(清华东门店)을 찾았는데 대학이 밀집해 있는 우따오코우(五道口)에 있다. 칭화대학과 13호선 우따오코우 지하철역 사이라 찾기 쉽다. 우따오코우 역에서 걸어가면 된다.

📍 주소

北京市 海淀区 双清路88号

📞 전화번호

010-62780868

💰 예산

둘이 거하게 먹고 배를 쓰나듬으면서 ㅣ 나왔는데 145위안(24,650원)이 나왔다. 남자 둘이라면 조금 더 나올 수도 있다. 양꼬치를 배가 터져라 먹어도 200위안(34,000원)을 넘기기는 힘들 듯하다. 국수도 싸다. 20위안(3,400원)에서 30위안(5,100원) 정도면 패나 훌륭한 누들로드를 탐험할 수도 있다.

☆ 기타

신장은 뜨거운 태양에서 자란 과일이 맛있기로 유명하다. 주황색 멜론쯤이라고 생각하면 되는 하미과는 신장 것을 제일로 친다. 대학 기숙사 식당에서 매년 여름이면 하미과를 양껏 먹는 재미가 있다. 수박과 투르판의 포도 역시 달콤한 맛이 다른 지방과는 비교가 되지 않는다. 북경에는 신장 위구르 음식점이 많은데, 이름난 식당에서는 과일을 따로 포장해 팔기도 한다. 후식으로 신장의 과일을 꼭 맛봐야 한다.

玛吉阿米
mǎjíāmǐ

꿈꾸는 신들의 땅에서 담아내는
소박한 인간의 맛

玛吉阿米
mǎjīāmǐ

≥ 신비로운 불교의 땅 ≤

방송, 특히 다큐멘터리를 업으로 하는 이들이 한 번쯤은 촬영지
로 염두에 두는 곳이 있다면, 그곳은 바로 티베트일 것이다. 조연
출로 정신없던 와중에 본 〈차마고도〉, 그 6부작을 흐르던 재일교
포 작곡가 양방언의 신비했던 음악이 아직 아련하다. 절벽은 신
화 속의 거인 같있고 협곡을 흐르던 강은 아찔했다. 하늘 아래 첫
땅, 티베트와 히말라야 넘어 힘차게 날아오르던 패러글라이딩을
따라 펼쳐진 〈이카로스의 꿈〉 3부작 역시 그 장대한 화면에 입을
벌리게 된다. 새와 쥐만이 다닐 수 있다고 해서 '조로서도(鳥路鼠
道)'라고도 불렸던 좁고 가파른 협곡을 지나야 닿을 수 있던 신들
의 땅, 그 로망을 가지고 북경의 티베트 식당을 수소문했다. 중국
친구들이 마지아미(玛吉阿米)를 말해준다. 뜻을 물어보니 정작 그
들도 모른다. 자리에 앉아 차를 따라주는 종업원에게 다시 물어

1. 2층 식당으로 가는 계단에
   는 다양한 공연 포스터들
   이 붙어 있다.
2. 티베트 라싸의 마지아미
3. 식당 내부에서 티베트 전
   통공연이 이루어지고 있다.

보니 '성결의 어머니'라고 일러준다. 성결은 거룩하고 깨끗하다는 종교적인 의미다. 불교가 일상을 지배하고 있는 지역답다. 검색해보면 티베트어로 '아름다운 미혼의 아가씨'라는 뜻을 가졌다고 나온다. 이 식당은 1997년 티베트 라싸에서 처음 개업했다고 한다.

식당은 2층에 있었다. 거우찬팅(歌舞餐厅)이라는 팻말이 있다. 거우(歌舞)는 우리식 한자음으로 가무다. 노래하고 춤춘다는 뜻이다. 식사를 하며 공연을 보는 식당이다. 그러고 보니 계단 옆으로 티베트 전통 공연을 알리는 포스터들이 여러 장 붙어있다. 중국인들은 어려서부터 다양한 전통공연을 즐긴다. 판소리나 창극보다 뮤지컬, 연극 같은 현대 공연이 더 익숙한 우리와는 다른 점이다. 중국에서는 전통예술에 대한 지원이 활발하게 이뤄지고 있다. 그래서인지 북경 사람들에게는 낯설 법한 티베트 전통공연도 인기가 좋다. 오래되어 보이는 일상용품과 울긋불긋한 전통문양의 천들로 입구 복두를 장식해 놨다. 문을 열고 들어가면 그들 고유의 것으로 보이는 악기와 제사용기, 책과 부처를 모신 제단을 거쳐야 크지 않은 공연 무대가 있는 식당으로 들어갈 수 있다.

평일 늦은 오후에 갔었는데, 손님이 우리 말고 한 테이블 더 있었다. 티베트 불교 스님들이었다. 우리가 흔히 라마교라고 부르지만 사실 라마는 티베트어로 '큰 스승'을 뜻하는 말이다. 라마는 그들이 믿는 불교의 큰 스님인 셈이다. 그중 몽골말로 큰 바다를 뜻하는 '달라이'를 앞에 붙인 달라이 라마가 티베트 불교의 최고

식당의 인테리어는 마치 박물관 같고, 전통 소품들도 많이 볼 수 있다.

지도자다. 그는 대륙을 통일한 인민해방군이 계곡을 넘어 티베트의 수도인 라싸로 쏟아져 들어오자 인도로 망명했다. 그 후로 티베트는 신장 위구르와 함께 중국이 가장 경계하는 땅이 되었다. 몇 차례 독립을 요구하는 대규모 시위가 있었고, 그 때마다 어김없이 피를 흘렸다. 승려들의 분신이 이어졌다. 최근에도 마찬가지다. 2008년에도 라싸에서는 유혈사태가 있었다. 이러한 일들은 정신적 구심점인 달라이 라마가 있기에 가능했다. 그는 1989년 노벨 평화상을 수상했다. 하지만 중국 정부는 달라이 라마의 방문을 허용한 나라를 상대로 다양한 형태의 보복을 주저하지 않는다.

⟩ 야크의 선물 ⟨

티베트 음식은 중국인들에게 독특하고 신비로운 느낌을 준다고 한다. 티베트에서만 나는 버섯으로 만든 요리, 티베트 인삼이 들어간 샐러드, 티베트에서 가져온 쌀보리를 이용해 특유의 방식으로 발효시킨 티베트 전통주 등 티베트 고유의 식재료와 전통을 강조한 음식들이 많았다. 메뉴판에는 특이하게 돼지고기가 없었는데 동행이 현지에서는 돼지를 잘 먹지 않는다고 말해준다. 대신 야크 고기가 있다. 야크는 소랑 비슷하다. 어깨가 뿔이 난 것처럼 솟아있는 것이 특징인데, 고산지역에서 주로 사육한다. 야크는 풀조차 자라기 버거운 티베트 고원에서 없어서는 안 될 동물이다. 젖을 짜서 요구르트도 만들고 술도 담가 먹는다. 고기는 먹고 가죽과 털로는 추위를 막고, 똥은 말려서 불을 땐다. 버릴 것이 하나 없다. 양고기와 소고기도 있었지만, 기왕 온 것 시짱촨통쇼우좌니우로우(西藏传统手抓牛肉)라는 야크 고기를 먹어보기로 했다. 쇼우좌니우(手抓牛)가 야크라는 뜻이다. 우리의 수육처럼 삶아서 내오는 야크 고기다. 감자와 함께 큼지막하게 썰려 나오는데, 찍어먹을 향신료가 작은 접시에 함께 나왔다. 맛은 소고기와 별반 다르지 않았다. 약간 더 질긴 느낌이 있긴 했는데 구별이 쉽지는 않을 듯했다.

시짱촨통쇼우좌니우로우

쑤요우차(酥油茶)도 주문했다. 야크 버터 티(yak butter tea)라고 옆에 쓰여 있다. 쑤(酥)는 소나 양의 젖에서 얻어낸 유지방이라는 뜻이 있다. 야크의 젖으로 만든 차다. 티베트 사람들의 일상에서 야크 젖으로 만든 차와 버터, 치즈는 뗄 수 없는 음식이다. 수프처럼 작은 사발 가득 나온 쑤요우차는 노란 빛깔을 띠고 있었다. 비리지는 않았는데, 약간 짜고 살짝 느끼했다. 처음이라 그런지 쉽게 주욱 들이킬 수 있는 맛은 아니었다. 결국, 반도 마시지 못했다. 티엔란춘쑨나이(天然纯酸奶)라고 하는 요구르트도 빼놓을 수 없었다. 중국어나 한자에 눈썰미가 있으면 대략 천연(天然), 순수(纯)라는 뜻이 읽힐 것이다. 쑨나이는 유독 맛이 강했다. 쑨(酸)이 '시다'라는 뜻이긴 하지만, 일반 식당의 그것보다 두 배는 시큼했다. 정통 티베트요리가 아닌 퓨전요리도 적지 않았다. 메뉴판에는 야크를 이용한 요리가 몇 더 있었다. 예전에 한 다큐멘터리에서 티베트인들의 손님맞이 밥상을 본 적이 있다. 그들은 야크를 알뜰하게도 먹었다. 야크 족발찜, 야크 갈비찜, 야크 육포가 기억난다. 우리가 소의 뼈까지 우려내 먹는 것과 비슷하다. 찌아오부(角卜)라는 이름의 양고기 요리도 주문했다. 야크 고기 인상이 워낙 강렬해서였는지 양고기는 다른 식당과 별 차이를 느끼지 못했다.

1. 쑤요우차
2. 티엔란춘쌴나이
3. 찌아오부

최고(崔高) 고원지대의 맛

한가한 틈에 종업원 서너 명이 테이블에 모여 뭔가를 바지런히 쓰고 있다. 슬쩍 보니 꼬불꼬불 한 것이 티베트 문자다. 메뉴판에도 티베트 문자가 같이 쓰여 있다. 그들의 문자도 모음과 자음이 있는 표음문자다. 고대 인도 문자에서 유래했다. 예전에 다큐멘터리 제작 때문에 한글의 기원에 대해 조사한 적이 있다. 한글은 몽골 글자였던 파스파 문자의 영향을 받았다는 조선시대 학자들의 글이 있었다. 파스파는 몽골로 건너간 티베트 승려였다. 어쩌면 한글과 이들의 문자는 꽤나 가까운 친척일지도 모른다.

글자인지 불교 문양인지 모를 무늬가 그려진 진한 초록의 수프가 있어 주문했다. 바라바니(巴拉巴尼)다. 시금치와 두부를 넣은 것이라고 한다. 호기심을 자아내는 외양과는 달리 너무 짜 채 서너 숟갈을 먹지 못했다. 중국 식당에는 메뉴판에 량차이(涼菜)라는 부분이 따로 있다. 주로 채소로 만든 요리를 말하는데 고기와 생선 같은 주요리에 곁들여 먹는 일종의 반찬 같은 느낌이다. 종류도 많고 맛도 좋다. 하지만 이곳의 메뉴판엔 량차이가 드물다. 몇 가지 샐러드가 있긴 했는데 오이와 토마토, 양배추 따위를 썰어 드레싱을 얹은 수준이다. 티베트는 세계 최고의 고원지대다. 3,000m~4,000m를 넘나드는 높이에 도시가 있어 초행의 촬영팀은 고산병으로 실려 나오기 일쑤다. 풀이 잘 자랄 리가 없다. 량차이가 없는 이유는 이 때문이 아닐까.

1. 바라바니
2. 칭커바이저삥

곡물도 마찬가지다. 척박한 땅에는 한계가 있다. 칭커(靑稞)가 그나마 이곳 사람들의 주식이라고 했다. 사전을 찾아보니 쌀보리라는 뜻이다. 티베트의 중요한 작물은 보리다. 보릿가루를 반죽해 국수도 만들고 만두도 만든다. 칭커바이저삥(靑稞百褶饼)은 이 쌀보리로 만든 납작한 전병이다. 저(褶)는 주름이라는 뜻이다. 달지도 짜지도 않은 맛은 그들의 땅처럼 건조하다는 표현이 어울렸다. 곡식이 부족해 걸어서 2, 3일이 걸리는 외지로 일하러 나가야 하는 고산지대 마을 사람들의 깊게 팬 주름이 떠올랐다.

아직도 티베트는 들어가기에 번잡한 땅이다. 현지 여행사의 초청이 있어야 하고, 허가증에 필요한 도장을 받다가 지친다. 취재 목적을 밝힌 외국 언론이 들어가기는 매우 힘든 통제가 살아 있다. 미국의 전 영부인 미셸 오바마가 중국을 방문했을 때 티베트 전통 식당을 들려 식사를 하는 것으로 정치적 제스처를 선보이기도 했다. 이곳을 장족(티베트 민족)이 아닌 한족의 땅으로 만들기 위해 중국 정부는 하늘 철도라고 불리는 칭짱 철도를 깔고 한족의 이주를 장려하고 있다. 티베트 자치구의 수도인 라싸에 푸통화(普通话, 표준 중국어)를 쓰는 한족이 대거 몰려드는 것이 어제오늘의 일이 아니다. 하지만 고유의 문자와 종교, 따르는 지도자가 별도로 있는 지역이다. 종업원들이 완벽한 푸통화를 구사하지 못한다는 후기도 있었다. 내가 못 알아들은 것이 아니었다. 즐기는 음식도 중국인의 그것과는 확연히 다르다. 힘으로 그 땅을 품었지만, 그 간극은 식탁 위에서도 느낄 수 있다.

玛吉阿米 mǎjíāmǐ

🕐 가는길

본점은 티베트 라싸에 있고, 북경에는 얼마 전 쩬궈먼(建国门) 지점이 문을 닫으면서 퇀지에후(团结湖) 지점과 바이지아주앙(白家庄) 두 곳만 남아있다. 퇀지에후(团结湖) 지점은 퇀지에후 지하철역에서 걸어서 10분 남짓 되는 거리에 있어 쉽게 찾아갈 수 있다. 북경의 이태원이라는 싼리툰 근처다. 평일 늦은 낮에 가서 한산했는데, 저녁에는 공연이 있어 북적인다.

📍 주소

北京市 朝阳区 白家庄里23号 锦园寓会所 2층

📞 전화번호

010-65088986

💰 예산

야크 고기는 비싼 편이다. 야크 수육 작은 것이 138위안(23,460원)이다. 주식은 30~50위안이다. 칭커바이저삥이 35위안(5,950원)이다. 바라바니는 55위안(9,350원)이었는데, 요리의 가격대가 북경의 다른 식당에 비해 싸지는 않다. 차와 요구르트도 20위안(3,400원) 안팎이다. 두 사람이면 300위안(51,000원) 정도이다.

一坐一忘
yīzuòyīwàng

수십여 민족이 꽃피우는
수백 가지의 화려한 맛

윈난 요리

이쭈어이왕

一坐一忘
yīzuòyīwàng

⟫ 차마고도의 끝자락 ⟪

중국 남서쪽 끝자락이 윈난(云南, 운남성)이다. 이곳은 미얀마, 베트남, 라오스와 국경을 맞대고 있다. 수천 년을 중화가 아닌 다른 질서 속에 있었던 곳이다. 지금은 비록 한족의 지배를 받고 있지만 윈난은 저마다의 기원을 가진 소수 민족의 땅이다. 바이족(白族), 쫭족(壯族), 마오족(苗族), 라후족(拉祜族), 와족(佤族) 등 수십여 종족이 있다. 이들이 가진 고유의 춤과 노래가 1년 내내 끊이지 않는 땅이 윈난이다. 여행을 꿈꾸는 이들이 한 번쯤 리스트에 올렸을 법한 땅도 윈난이다. 중국인들도 죽기 전에 한 번쯤 가보고 싶어 하는 여행지로 꼽는다. 실제 북경에서 윈난 여행 패키지의 가격이 한국의 그것과 비슷하거나 더 비쌀 정도로 중국인들에게도 인기 여행지다.

윈난을 차마고도(茶马古道)로 기억하는 사람들도 있을 테다. 십

년 전 KBS의 〈차마고도〉 6부작은 해발 4천 미터가 넘는 히말라야 중턱을 넘어 중국산 차와 소금을 티베트와 인도로 가져가는 상인들의 여정을 담았다. 상인들은 딸랑거리는 방울을 단 말에 가득 짐을 싣고 아슬아슬한 천 길 낭떠러지를 걷는다. 그 발끝 아래 협곡을 흐르는 강은 화면으로만 봐도 심장이 터질 듯했다. 방송 이후 많은 한국인들이 차마고도의 길을 따라 걷기 시작했다. 그저 걷는 것만으로도 원하던 힐링을 얻었다고들 말한다. 〈차마고도〉를 촬영, 제작했던 피디와는 몇 년 전, 팀장과 팀원으로 감성다큐 〈미지수〉라는 프로그램에서 만날 기회가 있었다. 선배는 술이 거나해지면 간혹 차마고도를 훑으며 만났던 사람들과 먹었던 음식을 기억했다. 듣는 것만으로도 술자리는 풍요로워졌다.

소수 민족의 터전이면서 차의 고장인 윈난은 빼어난 풍광만큼이나 유명한 특유의 음식으로 북경 사람들을 매혹시킨다. 북경 시내 곳곳에 윈난차이(云南菜, 윈난 요리)라고 써 붙인 식당이 제법 있다. 이 식당들은 대체로 종업원들이 그 지역의 의상을 입고 있어 특색을 더한다. 가격이 저렴한 식당도 많다. 허름한 골목 구석에라도 어딘가에는 하나쯤 있다. 자리를 비집고 앉아 식탁 위에서 중국을 훑는다. 그중 윈난성에 아련한 로망을 가지고 있는 외국인들도 즐겨 찾는 곳이 있다. 이쭈어이왕(一坐一忘)은 이방인들에게 인기 있는 식당이다. 윈난의 이름난 지역 중 하나가 리쟝이다. 리쟝은 중국인들에게 모든 슬픈 것을 잊게 만들어 줄 수 있는 곳으로 유명하다. 믿을 수 없이 파란 하늘, 헤엄치는 물고기의

인테리어는 깔끔하고 종업원들은 윈난 전통 의상을 입고 있다.

궤적까지 읽을 수 있는 맑은 물, 바스락거리는 소리조차 미안할 정도로 조용한 산이 있는 아름다운 도시로 소개된다. 그러니 리장에서는 슬픔을 잊을 수 있다는 소리가 나온다. 식당 이름에 있는 이왕(一忘)도 잊는다는 뜻이다.

현지인들 사이에서도 전체적인 분위기가 비교적 조용하다는 평이 많다. 어딜 가도 시끌벅적한 북경에서는 찾아보기 힘든 분위기다. 매주 월요일엔 특별한 이벤트도 있다. 식사시간 동안 휴대전화를 넣어두면 가격을 할인해준다. 이곳에서의 시간만큼은 바쁜 일상을 잊길 바라는 주인장의 마음이 아닐까. 그러고 보니 통유리로 밖을 덮은 식당의 채광이 윈난의 따뜻한 햇볕을 닮았다.

⟩ 다양한 소수민족, 풍성한 자연환경이 가져다준 만찬 ⟨

윈난 요리는 일단 가짓수가 압도적이다. 수십이 넘는 소수민족이 있고, 민족들마다 저마다의 상차림이 있다. 수십 수백의 화려한 식탁이 윈난 요리의 특징이다. 식당에 들어가면 먼저 탁자 위에 메뉴판이 여러 권 눈에 들어온다. 두어 권은 마치 음식 잡지를 보는 듯하다. 정성을 다해 찍은 요리 사진 옆으로는 요리에 사용된 식재료, 그 식재료를 얻은 윈난의 자연, 그에 얽힌 이야기들, 더러는 요리하는 방법이 적혀 있기도 하다. 버섯요리 옆에는 윈난에서 나는 수많은 버섯들이 책 두 장을 가득 채우고 있다. 굽이

메뉴판이 3개인데 음식 잡지를
보는 듯 내용이 풍부하다.

굽이 이어진 산세가 주는 선물이다. 윈난은 버섯과 약초가 지천이다. 〈차마고도〉를 연출했던 선배가 촬영하면서 라면에 송이버섯을 넣어 끓여 먹었다던 게 생각났다.

무엇 하나 빼놓을 것 없이 모두 윈난의 특색 있는 요리라며 동행이 뭘 시켜야 할지 난감해했다. 수십이 넘는 민족이 간직한 요리들이니 차고 넘치는 것이 당연하다. 여러 가지를 조금씩 맛보려고 했는데 욕심이 과했다. 셋이 먹기에는 조금 많이 시켰는지 상이 가득 찼다. 요리 색깔들이 모두 달라, 식탁 위는 화려한 꽃의 향연이 펼쳐진 듯했다. 실제 꽃 이름이 들어간 요리도 많다. 하나하나 장식이 아름다워 손대기가 미안했다. 척박한 지역의 요리와는 비주얼에서부터 차이가 확연하다. 자연을 누리고 산다는 것이 어떤 것인지 살짝 실감 난다.

니우로우바오허쥐엔(牛肉薄荷卷)은 살짝 익힌 소고기로 초록 잎을 감싼 후, 그 위에 양념을 바른 요리다. 소고기 품에 폭 들어가 있는 잎의 정체는 바오허(薄荷), 박하다. 입맛을 시원하게 해주고 약간 싸한 청량감을 준다. 쓴 약을 먹고 박하사탕 먹어본 기억쯤은 누구나 있을, 그 박하다. 박하 향이 많이 느껴지지는 않는다. 메인 요리를 먹기 전에 전채로 먹는 느낌의 음식이다. 양도 적다. 앙증맞은 대나무 통에 몇 점 되지 않았다.

모리화차오찌딴(茉莉花炒鸡蛋)은 계란볶음이다. 차오찌딴(炒鸡蛋)을 보면 볶다(炒)와 계란(鸡蛋)이라는 뜻이 들어 있다. 중국 식당에서 가장 흔하게 볼 수 있는 두 글자다. 그 앞에 모리화(茉莉

1. 니우로우바오허쥐엔
2. 모리화차오찌딴

1. 쉬삥샹찌엔빠오찌앙또우푸
2. 따리띠아오메이샤오파이구

花)가 붙었다. 재스민이다. 계란 사이에서 중식당에 가면 내어주는 재스민차의 향이 똑같이 난다. 재스민 향기는 긴장을 풀어주는 효과가 있다고 해서 차로 많이 마셨었는데, 노란 계란볶음 속의 하얗고 초록색이 어우러진 재스민은 처음 본다. 작은 접시에 어우러진 빛깔이 젓가락을 갖다 대기 미안할 정도로 예쁘다.

메뉴판에 윈난의 어느 뒷골목 거리에서 두부를 부치고 있는 사진과 함께 소개돼 있는 요리가 눈길을 끌었다. 싀뼝샹찌엔빠오찌앙또우푸(石屏香煎包浆豆腐)다. 찌엔(煎)은 기름에 부친다는 뜻이다. 빠오(包)는 둘러싼다는 의미이고, 찌앙(浆)은 끈적한 액체, 시럽을 말한다. 뭔가 그 고장에서 사용하는 특유의 양념으로 부친 두부요리다. 부친 두부 위에 파를 잘게 썰어 내왔다. 향이 섞인 짭조름함이 딱 밥반찬이다. 두부를 한 점 집어먹고 바로 쌀밥을 주문했다. 그런데 겨우 두부조림일 뿐인데 42위안이라니 조금 비싸다는 생각이 들긴 했다. 이쭈어이왕은 가격대가 저렴한 식당은 아니다. 인테리어나 위치가 서울의 기로수길과 비슷하다.

따리띠아오메이샤오파이구(大理雕梅小排骨)는 메뉴만 봐도 윈난 음식임을 알 수 있다. 따리(大理)는 윈난성의 지명이다. 이곳은 옛 성이 남아있고 소수민족의 문화가 잘 보존되어 있어 최근 관광객들이 많이 찾는 곳이다. 따리와 리쟝은 윈난 여행의 백미로 꼽힌다. 띠아오메이(雕梅)는 그 지역 소수민족인 백족의 음식이다. 파이구(排骨)는 갈비라는 뜻인데, 작게 토막 내어 조렸다. 단 맛이 강하다. 푹 익혀서 그런지 입안에 넣고 우물거리다 뱉으면 뼈만 잘 발라진다. 접시 옆으로 금세 뼈가 수북이 쌓인다. 고인돌 가족이라는 만화에서 원시인이 고기를 먹고 뼈만 뱉어내던 장면이 생각났다.

샹마오차오카오뤼페이위(香茅草烤罗非鱼) 역시 샹마오(香茅)의 이름을 모르면 요리를 해석할 수 없다. 중국어 사전을 찾아보니 레몬그라스라고 나온다. 처음 듣는다. 다시 국어사전을 찾았다. 레몬 향이 나는 억새를 닮은 잎이다. 유명한 태국 음식인 똠얌꿍에 꼭 들어가는 재료라고 한다. 뤼페이위(罗非鱼)는 틸라피아라는 물고기라는데 역시 금시초문이다. 아프리카 붕어라고도 한다. 동행의 말로는 윈난에서 많이 잡히는 물고기라고 한다. 샹마오차오카오뤼페이위를 먹으러 이곳에 온다는 현지인들도 많았다. 구운 물고기 위에 얹어진 레몬그라스가 함께 나온다. 레몬 향인지는 모르겠다. 여하튼 강한 향이 느껴진다. 일반적으로 윈난 요리는 향이 강하다. 경우에 따라서는 그 향 때문에 몇몇 요리는 곤욕을 치를 수 도 있는데, 다행히 이쭈어이왕은 그 정도는 아니었다. 향이 그다지 세지 않았다. 외국인을 위해 향을 많이 줄인 듯하다고 동행이 설명한다. 식당도 대사관 밀집 지역에 있다. 주변을 둘러보니 손님 중 상당수가 역시 금발에 푸른 눈이었다.

헤이싼뚸(黑三剁)의 뚸(剁)는 잘게 다진다는 뜻이다. 돼지고기와 까만 야채 등을 넣고 잘게 다져서 볶았다. 까만 채소가 뭐냐고 종업원에게 물어보니 시엔차이(咸菜)라는데, 직역하면 짠요리, 우리 장아찌쯤 된다. 들어가는 채소에 따라 요리 이름 앞의 색깔

1. 샹마오차오카오뤄페이위
2. 헤이싼뛰

을 나타내는 글자가 바뀐다. 토마토를 쓰면 홍싼뛰(红三剁)라는
요리가 된다.

﹥ 기분 좋게 배부른 식탁 ﹤

윈난 요리에서 빼놓을 수 없는 것은 쌀국수다. 미시엔(米线)이
쌀국수라는 뜻인데 윈난의 쌀국수는 궈치아오미시엔(过桥米线)이
라고 한다. 궈치아오(过桥)는 다리를 건넌다는 뜻이다. 국수와 다
리를 건너는 것이 무슨 관계가 있을까? 궁금해서 검색해보니 윈
난의 전설이 배경이었다. 과거 공부하는 남편을 위해 다리를 건
너 쌀국수를 가져다주던 부인의 이야기가 나온다. 그 남편이 시
험에 붙었을지, 붙고 나서는 조강지처와 백년해로했을지에 대해
동행과 한참을 떠들었다. 멍쯔(蒙自)는 그 다리가 있던 지명이다.
그래서 쌀국수 이름이 멍쯔궈차오미시엔(蒙自过桥米线)이다. 쌀
국수 면과 육수, 고명으로 쓸 채소와 고기가 모두 각각의 그릇에
담겨 따로 나온다. 종업원이 탁자 옆에 올려놓고 즉석에서 말아
준다. 작은 사발에 한 그릇씩 떠 주는데 서울에서 많이 먹던 베트
남 쌀국수와는 달랐다. 국물 맛이 좀 더 진하고 설렁탕에 가까운
빛깔이었다. 육수는 보통 닭을 고아서 낸다. 양은 넉넉하다. 네
사람 정도가 먹어도 두세 그릇이 남을 양이다. 직접 말아주는 퍼
포먼스가 있어서 그런지 68위안(11,560원)이나 한다. 대학가의 윈

멍쯔궈차오미시엔

메이꾸이시엔화삥

난 식당에도 쌀국수가 많이 있다. 학교 앞에서는 대략 1/3 가격
인 20위안(3,400원) 안팎이다. 시장이나 골목으로 들어가면 10위
안(1,700원) 조금 넘는다. 이곳이 확실히 비싸다.

　후식으로는 메이꾸이시엔화삥(玫瑰鲜花饼)도 주문했다. 메이꾸
이(玫瑰)는 장미다. 진달래꽃으로 부쳐먹는 화전과 비슷한가 싶
었는데, 달콤한 팥을 넣은 일종의 구운 호떡이다. 장미는 찾아볼
수 없었지만 달콤한 것이 후식으로는 그만이었다. 현지에서는 전
갈, 매미와 같은 곤충도 식재료로 많이 써서 메뉴판에도 곤충 요
리가 몇 있었다. 곤충 요리는 산동성에서는 귀한 요리로 취급되
고 결혼식 때 손님 접대용으로 나오기도 한다. 윈난의 곤충은 어
떨까 하는 호기심이 일었지만 그만뒀다. 아직은 무리였다. 딱 여
기까지가 기분 좋게 먹고 배 두드리며 나오기에 충분했다.

⏱ **가는길** 쌴리툰은 북경 여행 책자를 보면 핫플레이스라고 항상 나오는 곳
이다. 거리는 번화하고 밤에는 불야성이다. 클럽 밀집 지역으로도
유명하다. 식당은 북경에 총 세 군데 있는데, 대사관 밀집 지역에
있는 곳이 쌴리툰 지점이고 공인 체육관 근처다. 식당에 외국인이
많이 보이는 이유가 있다. 세계 각국의 수입품을 취급하는 마트인
〈제니루스(Jenny Lou's)〉 옆쪽에 있다

📍 **주소** 北京市 朝阳区 三里屯北小街1号

📞 **전화번호** 010-84540086

💰 **예산** 세 명이 후식 포함 요리 8개를 주문했는데 결국 남겼다. 모두 합쳐
서 358위안(60,860원)이 나왔다. 여럿이 갈수록 각자 부담해야하는
돈이 적어진다. 1인당 100위안(17,000원) 정도 잡으면 특색 있는
윈난 요리를 즐겁게 먹을 수 있다.

鹿港小镇
lùgǎngxiǎozhèn

'객가(客家)'의 전통과
다채로운 대만 요리의 만남이
선사한 맛

대만요리

벨라지오
(루강샤오쩐)

鹿港小镇
lùgǎngxiǎozhèn

⋛ 바다를 건넌 중국인, 객가의 후예 ⋚

마오쩌둥과 장제스가 대륙을 놓고 벌인 혈투는 공산당의 승리로
끝났다. 인민해방군이 장강(長江)을 넘어 거침없이 남하했다. 장
제스는 타이완(台湾, 대만)을 선택했다. 미국 군함의 호위를 받으
며, 국민당은 바다 건너 철수를 시작했다. 그들이 탄 선박에는 북
경에서 가져온 진귀한 문화재들이 가득 실렸다. 오늘날 중국의
보물을 보려면 북경의 박물관보다 타이베이의 박물관으로 가야
한다는 말이 그래서 나왔다. 중국을 주름잡던 요리사들도 많은
이가 국민당과 함께 바다를 건넜다. 원래 대만은 바다로 둘러싸
인 데다가, 섬 중심부에 높은 산이 있어 각종 식재료가 넘쳐났다.
중국 본토의 요리사들이 실력을 뽐내기 좋은 터였다. 현대 대만
요리의 시작이다.

　이보다 일찍 고향을 등진 사람들이 있었다. 삼국지의 무대였던

중원, 지금의 황하 주변에 살던 중국인들이었다. 북방 유목민족이 말을 달려 대륙 깊숙이 내려오자 이들은 짐을 꾸려 남으로 남으로 발을 돌렸다. 남방은 따뜻했고 물자는 풍부했다. 기왕에 고향을 등졌으니 장소에 얽매일 필요가 없었다. 사방으로 퍼져 나갔다. 당시 이주민은 호적에 객(客)이라고 썼는데 스스로를 객가(客家)라고 불렀다. 그들 중엔 멀리 중국을 벗어나 동남아로 간 사람들도 있었다. 지금 전 세계로 퍼진 화교의 시초가 된 것이다. 그들은 함께 모여 살았고, 전해 내려오는 언어를 고수했다. 살아남기 위해 돈줄을 움켜쥐었다. 그들이 동양의 유대인으로 불리는 것은 바로 이런 이유다.

객가는 바다 건너 대만에도 터를 잡았다. 대만 인구의 15% 정도가 객가의 후예인 것으로 본다. 여성이고 야당이었지만 대만 총통 선거에서 승리한 차이잉원의 몸엔 객가의 피가 흐르고 있다. 객가의 후예들은 이미 중국과 동남아 각국의 지도자를 많이 배출했다. 대륙의 덩샤오핑, 싱가포르의 리콴유는 모두 각자의 나라에서 존경받는 리더들로 객가의 후손이다. 차이잉원은 유세 도중 '객가의 딸이 총통이 되게 해달라'며 지지를 호소했다. 그리고 당선됐다. 객가와 대만의 동거다. 차이잉원이 나라를 부국의 길로 이끈 선배 객가 정치인들의 뒤를 이을지 많은 이들의 주목을 받고 있다.

여기저기 떠돌아다니면서도 말과 풍습을 유지해온 그들은 특유의 객가 문화를 형성했다. 전통 방식대로 사는 객가인들을 가

1. 깨끗하고 고급스러운 분위기에서 현대식으로 재해석한 객가 요리를 맛볼 수 있다.
2. 트렌디한 맛으로 젊은이들이 많이 몰려 루강샤오쩐보다 벨라지오라는 영어 이름으로 더 알려져 있다.

끔 TV 다큐멘터리에서 볼 수 있다. 둥그런 모양의 두꺼운 벽이
둘린 '토루'라는 집에서 몇십 가구가 모여 사는 것이 대표적이다.
전통 방식의 음식 문화도 유지되고 있다. '객가 요리'라는 이름으
로 중국 남부와 동남아 일대에 널리 퍼져 있다. 언제든 떠나야 하
는 삶이었으니 휴대와 보존이 간편해야 했다. 햇빛이나 연기에
말린 음식이 많고 채소는 절여 먹었다고 한다. 기본적으로 객가
요리는 소박하지만 살아가는 힘이 느껴지는 서민의 요리라는 느
낌이 강하다는 글을 읽은 적이 있다.

⟩ 트렌디한 레스토랑에서 만나는 야시장 요리 ⟨

벨라지오(鹿港小镇)는 대만의 다채로운 음식에 객가 요리를 함
께 맛볼 수 있는 곳이다. 대만과 객가의 조합이 어떨까 궁금했다.
북경에 객가 요리를 전문으로 하는 식당도 몇 있지만, 벨라지오
는 대만에 바탕을 둔 객가 요리라는 특징이 있다. 하지만 현대식
으로 재해석한 음식이 많아 퓨전 요리인 셈이다. 거기에 대만이
나 홍콩 음식을 하는 식당들은 경제가 먼저 발전한 지역이어서
그런지 깨끗하고 고급스러운 느낌이 있다. 트렌디한 인테리어와
맛으로 젊은이들이 많이 몰리는 식당이다. 그래선지 객가의 전통
을 찾는 사람이라면 약간 실망할 수도 있다. 식당 이름도 루강샤
오쩐(鹿港小镇)보다 벨라지오라는 영어 이름으로 더 알려져 있다.

메뉴판에는 북적이는 대만 야시장과 먹거리 사진이 큼직막하게 실려 있다.

북경의 어지간한 쇼핑몰에서 쉽게 찾아볼 수 있을 정도다.

　메뉴판을 열면 '대만의 맛'이라고 크게 써 놓고 대만의 유명 먹거리를 세분화해 놨다. 대만 미식이라는 이름으로 몇 가지를 설명해 놨는데 파인애플을 이용한 요리, 돼지족발을 이용한 요리, 객가 요리가 눈에 띈다. 메뉴판에는 대만 야시장과 먹거리 사진이 큼지막하게 실려 있다. 타이베이를 비롯한 대만 도시의 야시장은 현지인, 이방인 가리지 않고 북적인다. 덥고 습한 날씨 탓에 해가 없는 밤에 움직이기가 좋다. 어둠이 깔리면 노점의 등이 거리를 환하게 밝힌다. 끝도 모르게 가득 찬 먹거리가 밤마실 나온 이들을 홀린다. 간단하게 먹을 수 있는 국수부터 요란하게 구워

대는 고기 요리까지 없는 게 없다. 개구리로 스프를 만들고 회를 뜬다. 뱀의 눈과 혀로 만든 요리도 있다. 몸에 좋다는 속설과 호기심에 사람들이 북적인다. 즉석에서 만들어주는 빙수까지 먹고 나야 야시장 순례가 끝난다.

하자이찌엔(蛤仔煎)은 그 야시장에서 맛볼 수 있는 음식이다. 북경 거리에는 없다. 일종의 굴지짐이다. 하자이(蛤仔)는 바지락, 굴이란 뜻이다. 찌엔(煎)을 쓰면 우리의 부침개 같은 음식이 된다. 약간 투명하고 끈적임이 있는 지짐이다. 굴과 시금치, 계란을 안에 넣고 기름에 지졌다. 해물파전 비슷한 느낌이다. 위에 소스를 뿌려주는데 달콤하다. 야시장에서 넓은 종이컵에 담아 먹기 딱 좋은 크기로 나온다. 잘 차려입고 식탁에 앉아 먹으면 되레 식감이 떨어지는 길거리 음식이지만 나이프와 포크로 열심히 썰어 먹었다.

싼뻬이지(三杯鸡)는 이 식당의 대표적인 요리다. 검색해보면 원래 강서성 요리라고 나오는데, 대표적인 객가 요리라고 동행이 일러준다. 뻬이(杯)는 컵이란 뜻이다. 닭고기를 깍두기처럼 썰어 질그릇에 넣은 후, 돼지기름, 간장, 쌀로 빚은 술을 물과 함께 섞어 부은 후 자글자글 끓이는 요리다. 우리 찜닭과 맛도 모습도 많이 닮았다. 객가의 음식 중에 닭에 소금을 발라 찐 '옌쥐지'라는 요리도 있다. 고향을 등지고 떠돌던 유랑민에게 닭요리가 가장 만만했겠지 싶었다. 음식 이름에 '객가'라는 단어가 들어간 음식도 몇 있다. 객가식 볶음면, 객가식 만두… 이런 식이다. 그중 커

1. 하자이찌엔
2. 싼삐에이지
3. 커찌아치에즈빠오

찌아치에즈빠오(客家茄子煲)를 주문했다. 치에즈(茄子)는 가지다. 빠오(煲)는 깊은 솥에 졸이거나 달이는 조리법을 뜻한다. 가지에 달착지근한 양념장을 얹어 졸였다. 가지의 보라색이 선명하다. 달고 짠 것이 밥반찬이다. 39위안(6,630원)인데 가지요리치고는 약간 비싼 감이 있다.

보루어요우티아오시아(菠萝油条虾)는 젊은이들이 가장 많이 찾는 메뉴 중의 하나다. 요우티아오(油条)는 밀가루를 길게 반죽해 기름에 튀긴 음식이다. 중국인들의 아침으로 많이 알려져 있다. 대만식 요우티아오는 약간 다르다. 새우살을 넣어 반죽한 후 튀겼다. 파인애플과 갓 튀긴 요우티아오를 마요네즈 소스에 버무려 내온다. 파인애플은 대만 요리에 많이 쓰인다. 파인애플의 속을 파고 밥을 볶아 차리면 보는 맛도 훌륭하다. 대만의 파인애플 과자인 펑리수는 관광객의 필수 구입품목이다. 상큼하고 시원한 파인애플과 기름에 튀긴 뜨거운 요유티아오가 함께 씹히는 맛은 먹어봐야 안다. 통통한 새우살은 덤이다.

주식으로는 면과 밥이 모두 유명하다. 루로우판(卤肉饭)은 북경에서도 유명한 대만의 서민 음식이다. 루로우(卤肉)는 일종의 수육이다. 소금물에 넣고 삶은 고기라는 뜻이다. 삶은 돼지고기를 간장에 볶아 밥에 얹어 간편하게 먹는다. 세트 메뉴로 시키면 고기가 따로 나오고 몇 가지 야채 반찬이 추가된다. 면도 종류가 많다. 대만은 우육면이 유명하다. 홍샤오니우로우미엔(红烧牛肉面), 말 그대로 소고기를 뭉텅 썰어 넣어 끓여낸 국수다. 고수를

1. 보루어요우티아오시아
2. 파인애플 볶음밥
3. 루로우판

1. 훙샤오니우로우미엔
2. 샤차니우로우차오미엔
3. 타이식식찐주미엔

듬뿍 넣어 먹는데, 익숙지 않은 외국인도 많이 찾는 식당인지라 고수가 따로 나온다. 고수만 빼면 우리 입맛에도 딱 맞는다. 고깃덩어리가 커서 한 그릇만 먹어도 든든하다. 샤차니우로우차오미엔(沙茶牛肉炒面)은 볶음면이다. '샤차(沙茶)'는 사전에도 잘 안 나오는 단어다. '사떼'의 중국식 표기다. 사떼는 동남아시아, 특히 인도네시아에서 즐겨 먹는 고기 꼬치 요리다. 고기에 바르는 양념장을 다양한 향신료를 넣어 만드는데, 거기에 면을 볶아 만든 요리다. 타이식식찐주미엔(台式什錦煮面)도 인기다. 음식 이름에 대만식이라고 붙어있다. 식찐(什錦)은 여러 가지로 만들었다는 뜻이다. 주(煮)는 삶다, 끓인다는 뜻이다. 여러 가지 해물을 듬뿍 넣어 끓인 일종의 안 매운 짬뽕이다. 면은 모두 30위안(5,100원)~50위안(8,500원) 정도다.

⟩ 미식의 완성은 디저트 ⟨

야시장 순례의 끝이 디저트이고 디저트를 먹으러 일부러 야시장에 가는 것처럼 벨라지오에도 디저트 메뉴판이 따로 있다. 사실 벨라지오는 북경의 젊은이들에게는 빙수로 유명하다. 이곳의 팥빙수는 혼자서는 도저히 못 먹을 정도의 양이다. 높이 솟은 얼음 봉우리에 팥과 땅콩소스가 듬뿍이다. 한여름에는 빙수만 먹으러 일부러 온 적도 있다. 망고 빙수, 치즈 빙수, 푸딩 빙수 등 머

1. 땅콩빙수
2. 팥빙수
3. 코코넛망고샤베트
4. 팥죽

릿속에서 상상할 수 있는 빙수란 빙수는 모두 있다고 해도 될 만하다. 심지어 커플을 위한 연애 빙수도 있다.

발렌타인데이에 연인과 함께 갔다는 현지인들의 후기가 상당히 많다. 중국의 발렌타인데이는 2월 14일이 아니다. 북경의 더위가 기승을 부리는 8월, 견우와 직녀가 만나는 날이라는 음력 7월 7일, 칭런지에(情人节)라고 부르는 이 날 연인들이 손을 잡고, 팔짱을 끼고 벨라지오를 찾는 다.

차 종류도 다양하다. 한국에서도 서서히 인기를 더해가는 버블티의 원조가 대만이다. 쩐쭈나이차라고 하는데 버블이 진주 같다고 해서 생긴 이름이다. 타피오카라는 식용 녹말이 주재료다. 우롱차에 이 진주와 우유를 넣어 만든다. 쩐쭈나이차를 전문으로 하는 찻집들만 여러 브랜드가 성업 중이다. 2015년에 CNN에서 세계 미식 여행지 설문조사를 했는데, 대만이 1위였다는 기사를 봤다. 흥청거리는 타이베이 야시장의 먹거리를 경험해 본 사람이라면 식탁 위에서 재현되는 대만 미식에 쓰는 돈이 아깝지 않을 듯했다.

鹿港小镇 lùgǎngxiǎozhèn

🕐 **가는길**

2018년 10월 기준으로 북경에만 무려 31개의 지점이 있다고 한다. 젊은이들이 모이는 큰 쇼핑몰에서 어지간하면 찾을 수 있다. 학교에서 가까운 시쯔먼(西直门) 지점에 가끔 갔었는데, 굳이 한 곳을 특정할 필요가 없을 정도로 많고 쉽게 찾을 수 있다.

📍 **주소**

北京市 西城区 西直门外大街1号 凯德MALL 2층

📞 **전화번호**

010-58301932

🍲 **예산**

각종 웹사이트에 1인당 평균 가격을 소개해놨는데, 모두 100위안 (17,000원)을 넘지 않는다. 넷이 배불리 먹어도 300위안(51,000원)을 넘기기 힘들다. 빙수가 20위안(3,400원)~30위안(5,100원) 정도인데, 한여름에 시간과 돈을 충분히 투자할 만한 가치가 있다.

港丽餐厅
gǎnglìcāntīng

격변의 현대사가 가져다준
공존의 맛

홍콩 요리

강리찬팅

港丽餐厅
gǎnglìcāntīng

≳ 향기로운 항구에서의 식도락 ≲

강리찬팅(港丽餐厅)은 홍콩식 퓨전요리 식당이다. 홍콩을 중국
어로는 샹강(香港)이라고 한다. 샹(香)은 향기롭다는 뜻이고, 강
(港)은 항구다. '향기로운 항구'라는 이름이 시의 한 구절 같다. 강
(港)만 따로 사용해서 홍콩을 뜻하기도 한다. 강런(港人)은 홍콩
사람, 강위엔(港元)은 홍콩 달러다. 1992년 중국과 수교하기 전
까지 우리에게 중국은 대만과 홍콩이었다. 대륙은 그저 중공이
라 불렀다. 중국에 대한 학문을 하거나 중국어를 배우기 위해서
는 타이베이로 향했고, 중화와 장사를 하기 위해서는 홍콩 땅을
밟았다. 대륙에 둘러진 죽의 장막은 넘겨보는 것을 허락하지 않
았다. 대만이야 중공과 내전을 했던 적대국이었으니, 상대적으
로 홍콩이 그나마 대륙으로 향하는 숨통이었을 것이다. 1997년
중국으로 반환 이전까지는 대영제국의 마지막 상징과도 같은 존

재었기 때문에, 영어만 알아도 다니기에 편했다. 홍콩은 닫힌 대륙을 대신해 중국을 맛보는 일종의 리트머스 시험지 같은 역할을 했다.

그즈음 홍콩에 홀리지 않은 한국 사람들이 있었을까? 쇼핑, 먹거리, 영화 등 모든 면에서 홍콩은 지금 대륙의 중국인들이 한류에 열광하듯 우리 마음을 훔쳤었다. 1년 내내 이어지는 명품 세일, 야시장에서 만원에 팔던 가짜 롤렉스 시계. 홍콩을 오가던 보따리상들의 가방은 항상 터질 듯했었다. 주윤발, 왕조현, 유덕화, 장만옥, 양조위. 중고생들은 사진을 오려 코팅해 책받침으로 쓰거나 방에 도배를 했다. 아이들은 강시 영화를 보고, 남학생들은 〈영웅본색〉 같은 누아르 영화를 보고 또 봤다. 광고 촬영을 위해 한국을 찾은 홍콩의 스타들을 보기 위해 공항에 구름같이 몰리던 그때 모습이 지금은 거꾸로다. 매년 홍콩에서 열리는 한국의 음악 케이블 채널인 M.net의 MAMA 무대에 오르는 한국의 스타들이 입국힐 때면, 홍콩 팬들로 공항이 마비된다. 격세지감이라는 말은 이럴 때 쓰라고 있나 보다.

그래도 변하지 않은 것이 있다. 식도락이다. 홍콩은 아직도 미식가들이 침을 꿀꺽 삼키게 하는 매력을 간직하고 있다. 서점에 가면 중국 맛집에 대한 책보다 홍콩의 미식을 찾아다니는 책을 훨씬 많이 볼 수 있다. 넓지도 않은 홍콩 땅을 뒷골목까지 구석구석 헤집고 다니며 맛에 대한 찬가를 읊는다. 농담처럼 홍콩에는 99,000개의 식당이 있다고 말한다. 비행기를 빼면 날아다니는 모

든 것을 식재료로 쓰고, 식탁을 빼고는 다리 달린 모든 것을 먹을 수 있다는 광동 요리의 후계자쯤 된다. 대부분 광동 사람들이 이주해서 정착했기 때문에 광동 요리를 기본으로 발달했다고 하는데, 반세기가 넘게 영국의 통치를 받았기 때문에 서양 요리와 많이 섞였다고 보는 게 맞을 듯하다. 전통의 식문화도 일부 남아 있지만 일찍부터 대도시로 발전한 곳이다. 바쁜 현대 도시인의 입맛에 맞춰야 했다. 아시아의 4대 용으로 불릴 정도로 금융과 무역의 중심이었으니, 경제적 풍요도 한몫했다. 그렇기 때문에 홍콩 요리는 다른 중국요리에 비하면 전통의 무엇보다는 왠지 서구스럽고 도회적인 느낌이 있다. 식당도 음식도 모두 젊어 보인다.

딱히 무어라 정의하기는 힘들지만, 홍콩 요리에는 영국의 식민지가 되었다가 중국에 반환된 역사가 흘리는 공존의 맛이 있다. 금방이라도 전깃줄이 떨어질 것 같은 뒷골목 한켠의 낡은 식당에서 하얀 런닝을 입은 중국 할아버지가 내주는 볶음면에 영국식 홍차를 먹을 때, 이곳이 홍콩이구나 싶다.

≳ 한가로운 오후의 만찬 ≲

강리찬팅(港丽餐厅)은 상하이에서 시작했다. 인테리어가 깔끔하고 세련됐다. 한마디로 쿨하다. 지금은 북경에도 여러 곳이 있는데 항상 젊은 남녀들로 북적인다. 이 식당을 대표하는 시그니

눈을 매혹시키는 홍콩 특유의 화려한 디저트들이 많다.

처 메뉴는, 의외로 화려하거나 먹음직스러워 보이는 요리가 아니다. 그것은 식빵이다. 펑미호우뚜어싀(蜂蜜厚多土), 영어로 허니 토스트라고 표기되어 있다. 주문하면 웬만한 성인의 두 주먹을 합친 것보다 큰 식빵 덩어리가 나온다. 펑미(蜂蜜)는 벌꿀이다. 호우(厚)는 두껍다는 뜻이고 뚜어싀(多土)는 토스트를 중국식으로 음역한 단어다. 이름처럼 두툼하고 네모나게 잘 구워진 식빵이 한 덩어리 나온다. 위에는 아이스크림이 토핑으로 올려져 있다. 식빵을 두르고 있는 옆면은 딱딱하고 바삭하게 구웠는데, 속은 그야말로 솜사탕처럼 달콤하고 부드럽다. 아홉 칸으로 층층이 나눠놨는데, 칸칸이 꿀이 촉촉하게 배어있다. 처음엔 크기에 놀라지만 포크로 한 조각씩 찍어 먹다 보면 그 큰 덩어리가 없어지는 것이 잠깐이다. 아이스크림은 추가해서 더 올려 먹을 수 있다. 따뜻하고 폭신한 식빵에 차가운 아이스크림의 조화가 환상적이다. 카스텔라를 먹는 느낌이랑 비슷하다. 1인 1펑미호우뚜어싀라는 말이 있을 정도로 현지인들에게도 계절에 상관없이 인기가 좋다. 특히 젊은 여성 손님들에게 사랑받는 메뉴라고 한다.

맛봐야 할 빵이 하나 더 있다. 뽀어뤄빠오(菠萝包)다. 뽀어뤄(菠萝)는 파인애플이니까 파인애플 빵이다. 뽀어뤄요우빠오(菠萝油包)라고도 한다. 홍콩의 명물이다. 소보로빵과 비슷하게 생겼는데, 크기는 반 정도 작고 위에 덮인 소보로는 얇다. 얼핏 보면 동네 제과점에서 파는 모닝 롤과 다를 것이 없어 보이는데, 빵을 잘라서 차가운 버터를 끼워준다. 무성의해 보이는 외관과는 달리

1. 펑미호우뚜어식는 시그니처 메뉴로 소개하고 있는 인기 메뉴다.
2. 뽀어뤼빠오

한입 베어 물면 따뜻하고 보들 거리는 속살에 차가운 버터, 바삭 거리는 소보로가 어우러진다. 보기엔 느끼해 보이는데, 잘도 넘어간다. 하나 이상을 참는 것이 어려웠다. 떨어진 부스러기까지 싹싹 긁어먹었다.

　홍콩 여행을 하는 사람들은 애프터눈티 세트를 먹으러 일부러 발걸음을 한다. 페닌슐라 호텔 같은 값비싼 곳부터 동네 카페까지 다양하다. 진한 홍차와 함께 층층이 나오는 쿠키와 샌드위치, 빵을 즐기면서 그 옛날 한가로운 오후를 즐겼던 귀하신 분들을 흉내 내 본다. 메뉴판에 3단의 애프터눈티 트레이와 비슷하게 2단에 올려놓은 음식 사진이 보였다. 자세히 보니 고기를 여러 종류 올려놨다. 이름은 샤오웨이핀판(烧味拼盘)이다. 핀판(拼盘)은 모둠 요리라는 뜻이다. 고기가 4종류고 반으로 가른 삶은 달걀이 3조각 올려져 있다. 고기는 각각 샤오로우(烧肉), 차샤오(叉烧), 옌쥐지(盐焗鸡), 피파지(琵琶鸭)이다. 샤오로우(烧肉)는 구운 돼지고기다. 차샤오(叉烧)는 꼬챙이에 꽂아 화로 안에 넣어 구운 고기인데, 바이두를 검색해보니 광동지방의 요리다. 차샤오쟝이라는 양념을 발라 굽는다고 한다. 옌쥐지(盐焗鸡)는 소금간을 해 찐 닭찜이다. 피파지(琵琶鸭)도 남방의 오리구이인데 생긴 모양이 중국의 전통악기인 비파를 닮았다고 해서 피파(琵琶, 비파)라는 단어를 썼다. 모두 한입에 먹기 좋게 잘려 있고 대여섯 조각씩 나왔다. 피파지는 향이 강해서 내 입맛에는 맞지 않았다. 조리법을 찾아보니 팔각을 비롯해 많은 향신료를 쓴다고 한다. 계란은

샤오웨이띤판

반숙이 나온다. 메뉴에는 탕신딴(糖心蛋)이라고 쓰여 있는데, 원래 반숙은 탕신(溏心)이라고 한다. 발음이 같고 달콤하다는 뜻의 탕(糖)으로 바뀌어 놓았다. 일본 라멘에 얹는 달달한 계란 반숙을 탕신(糖心)이라고 쓰곤 하는데 같은 의미지 싶었다. 가격은 88위안(14,960원)이니 제법 비싸다. 오후에는 진짜 애프터눈티 세트도 판매한다. 홍차나 밀크티에 간단한 샌드위치와 에그타르트를 곁들여 한가로운 오후를 만끽하며 먹을 수 있다.

⟩ 나의 숙취 해결사 ⟨

주식으로는 국수를 주문했다. 가끔 전날 술을 먹고 숙취를 풀기 위해 찾곤 했다. 숙취에 쓰린 속을 부여잡고 엉금엉금 걸어가는 이유는 완탕면 때문이다. 그 맑고 뜨끈한 국물을 후후 불어 넘기면 맑은 대구탕을 먹을 때처럼 속이 풀리는 맛이 있다. 완탕면이라고 입에 붙기는 했지만 사실은 훈툰(馄饨)이다. 고기나 해물, 채소를 섞은 속을 얇은 만두피로 싸서 맑은 국물에 끓여내는 요리를 훈툰이라고 한다. 왜 완탕면이 됐는지 알아보니 중국의 훈툰(混沌)이 일본에 전해져 완탕(ワンタン)이 된 후, 부산으로 전해져 완당이라고 불렸다고 한다. 지금은 부산의 향토 음식에 이름을 올리고 있다. 국경을 넘나드는 음식의 이름 하나 파헤치는 작업도 참으로 흥미롭다. 시엔시아윈툰미엔(鲜虾云吞面)을 주문

했다. 새우로 만든 속이 들어있다. 닭 육수라는데, 통새우가 가득한 윈툰(云吞)이 4개나 들어있다. 한 그릇 먹고 나면 속이 든든하다. 술꾼들뿐 아니라 누구에게라도 강추다. 기왕에 속풀이 국수를 하나 더 소개하면 싱마라샤(星马喇沙)도 일품이다. 라샤(喇沙)는 락사의 중국식 표기다. 락사는 생선이나 닭으로 우린 매콤한 국물로 만든 쌀국수다. 말레이시아나 싱가포르의 노점에서 흔히 볼 수 있는 서민 음식이다. 코코넛 밀크를 사용한다. 각종 해물이 들어있는 벌건 국물은 우리 입맛에 익숙한 매콤한 맛과는 다른 매운맛이다. 속이 풀리는 것은 물론이다.

닫힌 대륙을 피해 남하한 중국 각지의 사람들과 영국의 식민통치가 어우러졌다. 거기에 급속한 경제발전으로 어울리지 않을 것 같은 이질적인 문화들이 겹겹이 쌓였다. 그 매력이 수많은 사람을 홍콩으로 불러 모았다. 대륙으로 반환되고 영어를 전혀 하지 못하는 중국인들로 북적이는 지금도 홍콩은 그 색깔을 완전히 잃지 않고 있다. 어느 중국 지인이 왜 홍콩 사람들은 자신들을 중국인으로 생각하지 않는지 모르겠다며 비난한 적이 있다. 그 비난이 반갑게 들리는 이유는 홍콩 영화를 보고 자란 세대로서 간직하고 있는 홍콩에 대한 향수도 이유가 아닐까 한다. 그저 그런 중국의 지방 도시로 자리매김하는 것은 원치 않는다. 북경에서 홍콩이라는 간판이 반가운 것은 아직도 〈영웅본색〉과 〈천녀유혼〉이 가끔 생각나기 때문일지도 모른다.

⊙ 가는길

북경에 6곳의 지점이 있다. 상해에도 여러 개 있다. 왕푸징에도 있고 시단에도 있어 찾아가기 편하다. 학교 근처에 있는 중관촌 지점을 자주 찾았었다. 중관촌 지점은 중관촌 EC 몰에 있다.

📍 주소

北京市 海淀区 中关村丹棱街甲1号 欧美汇购物中心 5층

📞 전화번호

010-62531270

🏺 예산

펑미호우뚜어식는 43위안(7,310원), 뽀어뤄빠오는 9위안(1,530원)이다. 시엔시아윈툰미엔은 30위안(5,100원)인데, 국수의 가격은 대체로 30위안 안팎이다. 홍콩 레스토랑답게 형형색색의 디저트가 화려하다. 20~30위안씩 하는 주스와 빙수를 홀린 듯 시키다 보면 생각했던 것보다 높은 금액이 나와 있는 계산서를 보게 된다.

三泉冷面
ānquánlěngmiàn

잃어버린 우리 과거를 떠오르게 하는
향수의 맛

三泉冷面
sānquánlěngmiàn

⟫ 중국 속의 한국, 옌볜 ⟪

중국이지만 중국 요리라고 하기엔 좀 어색한 곳. 그렇다고 우리 입맛과도 똑같은 것도 아닌 곳. 일제강점기에 넘어간 우리 할아버지 할머니들이 정착해 터를 일군 곳. 바로 옌볜(延边, 연변)이다. 우리에게는 만주, 간도 같은 지명으로 좀 더 익숙한 이곳은 나라가 망한 후 독립운동의 요람이었다. 봉오동, 청산리 전투가 모두 이곳에서 벌어졌다. 수십 년이 지나는 동안 수많은 고초를 견뎌내고 이 땅에는 마침내 봄이 찾아왔다. 해방이 됐지만 이미 땀 흘린 삶의 터전을 떠나기는 쉽지 않았다. 수백만의 사람들은 돌아가지 않고 이 땅에 눌러앉았다. 중국은 이들을 소수 민족으로 인정했고 이것이 조선족 자치주의 시작이었다.

옌볜 조선족 자치주의 수도인 옌지(延吉, 연길)에 가면 간판 중 절반은 한글로 되어있다. 중국말을 못 해도 어지간하면 시내에

청산리 전투에서 승전한 김좌진(金佐鎭 1889~1930) 장군과 북로 군정서군의 모습이다.

서 길을 잃을 일이 없다. 함경도, 경상도, 전라도…, 떠나올 때의 고향은 남북을 가리지 않았다. 하지만 해방 후 역사는 남북을 갈라놓았다. 남쪽이 고향이었던 사람들은 왕래가 끊겼다. 50년이 훌쩍 흐르고 1992년 한국과 중국이 수교를 하면서 다시 길이 열렸다. 호적상 소속인 사회주의 신중국이나 고향이라 생각했던 조선민주주의인민공화국과는 비교가 안 될 만큼 경제 성장을 이룩한 대한민국이 비행기로 단 두 시간 거리였다. 남쪽에 친척을 둔 사람들이 먼저 서울을 찾았다. 돈은 사람을 부른다. 한국에 가서 1년을 일하고 왔더니 집을 한 채 샀다더라. 소문이 퍼지는 것은 삽시간이었다. 어느 정도 부를 일군 한국인들이 기피하는 일들은

여름이면 사람들이 길게 줄을 서 기다리면서도 즐겨 먹는 것이 쌴촨렁미엔의 냉면이다.

어느새 이들의 몫이 되었다. 몸으로 하는 일은 고됐지만 손에 쥐
는 돈맛에 많은 조선족 동포들이 연변을 떠났다. 지금 한국에 거
주하는 조선족 동포들을 대략 백만으로 본다. 구로구 대림동은 이
미 한글보다는 중국어 간판이 익숙한 조선족 타운이 된 지도 오
래다. 그들과 함께 연변의 먹거리들도 한국으로 따라 들어왔다.

최근 서울의 새로운 외식 트렌드가 되다시피 한 양꼬치의 유행
을 따져보면 시작은 연변의 조선족들과 맞닿아 있다. 양은 싸고
푸짐하다. 만주의 유목 민족들이 많이 먹던 음식이라는데, 척박
한 땅을 일구던 조선 사람들도 맛을 들였고 지금은 서울 전역으
로 퍼져 나가는 중이다. 연변 랭면(냉면)도 일찍이 중국에서 인정
받은 음식이다. 중국 미식 지도라는 사진을 바이두에서 검색해보

면 동북의 미식에서 빠지지 않는 것이 연변 랭면이다. 하얼빈의 꿔바로처럼 연변 하면 랭면이다.

북경에도 연변 음식을 전문으로 하는 식당이 있다. 당연히 코리아타운인 왕징이다. 왕징에는 한국인만 모여 사는 것은 아니다. 동북의 조선족도 대거 왕징으로 넘어왔다. 처음에는 한국 사업가들의 통역 겸 현지 조력자로서의 역할을 했다. 중국 진출을 추진하던 일본 기업가들이 한국 기업에 대해 가장 부러워한 것은 다름 아닌 조선족이라는 말이 돌았다. 돈을 제법 모았다 싶으면 자기 일을 시작했다. 중국이 경제 성장의 궤도에 오르면서 성공한 조선족도 수를 헤아릴 수 없을 정도가 되었다. 연변 음식으로 불리는 조선족 식당도 많이 생겼다. 연변 요리의 특징에 대해 쓴 칼럼을 읽은 적이 있는데 잃어버린 과거가 담겨 있다고 표현되어 있었다. 경제 발전이 더딘 연변의 모습이 자아내는 개발이 한창이던 시절에 대한 회상과 19세기 이후 끈질기게 지켜온 조선 음식의 흔적, 이 모두가 시간을 거슬러 올라가 만날 수 있는 과거의 맛일 테다.

≳ 조선 동포들 다 같이 모여 냉면 한 사발 ≲

싼촨렁미엔(三泉冷面, 삼천냉면)은 그중 유명한 식당이다. 물론 주메뉴는 연변 냉면(延边冷面)이다. 여름이면 사람들이 길게 줄을 서 기다리면서도 먹는 냉면이다. 연변이 북한에서 가깝다고 북한식 평양냉면을 생각하면 다소 당황할 수 있다. 달콤새콤한 육수는 따로 식초가 필요 없다. 사과와 수박 같은 과일도 들어 있다. 쇠고기 편육에 꿩고기나 닭고기 완자도 넣어서 나온다. 면은 감자 전분이 들어가 있어 질기다. 먹고 사는 것이 어려웠던 시절 연변 냉면은 도토리 가루를 쓰기도 했다며 아픔이 있는 음식이라고 쓴 칼럼도 있다. 도토리는 한족들이 먹지 않는 음식이다. 버리는 도토리를 주어 가루를 낸 뒤, 냉면을 만들어 먹었으니 고단한 삶이 들어있다고 해석하는 것도 일리가 있다. 무엇보다 인상적인 것은 양이다. 큰 것을 시키면 거짓말 조금 보태 세숫대야만 한 대접에 내온다. 다른 요리와 먹기 위해서는 작은 것을 시켜야 한다. 가격도 비싸지 않다. 연변 자치주의 수도인 옌지에서 냉면을 먹을 때는 12위안(2,040원)짜리 가장 작은 것을 주문해 먹곤 했다. 뭔가 좋은 일이 있을 때 다 같이 모여서 냉면 한 사발 들이키는 것이 자연스러운 문화가 됐다. 옌볜 푸더(延边富德)라는 축구팀이 있는데 옌볜팀이니 선수들도 조선족이 많다. 2부에서도 꼴찌여서 3부로 강등될 뻔한 것을 갑급리그의 팀이 하나 해체되면서 잔류할 수 있었을 정도로 약체였다. 그랬던 옌볜 축구팀이 2016년 대반전을 이뤄냈다. 꼴찌에서 1등으로 기적 같은 역사를 썼다. 누구도 예상하지 못했지만, 옌볜 푸더는 중국 슈퍼리그에 진출했다. 옌지뿐만 아니라 자치주 전역이 들썩였다. 언론 역시 이들을 주목했다. 스포츠가 원래 극적인 승부의 세계라지만 이들

연변 냉면

은 드라마를 넘어 기적을 만들어 냈다. 이 기적을 다룬 다큐멘터리를 봤는데 옌볜 푸더의 경기가 있는 날, 냉면을 할인해서 파는 가게 주인이 나온다. 축구로 하나 된 조선족들이 삼삼오오 모여, "축구는 조선족이죠. 옌볜 자치주의 한족 학교에서는 농구를 하지만, 조선족 학교는 무조건 축구입니다"라며 시끌벅적하게 냉면을 먹는다. 북경에 사는 많은 옌볜 사람들은 냉면을 먹고 싶을 때 싼촨렁미엔에 온다고 한다. 어렸을 때부터 먹고 자란 고향 냉면의 맛 그대로란다.

치에다까오

＞ 중국 땅에서 발전한 조선의 맛 ＜

　냉면과 함께 빠질 수 없는 것이 연변 순대다. 당면을 넣지 않고 찹쌀을 넣어 만든다. 우리처럼 당면을 넣지는 않는다. 조선족인 한 지인이 한국 순대는 당면 때문에 낯설어 못 먹겠다고 투덜대는 소리를 들은 적도 있다. 이들은 찹쌀을 넣어 찐 순대를 간장에 찍어서 먹는다. 묵직한 맛이 별미다. 냉면과 함께 인기 메뉴다. 이날은 순대가 이미 다 팔려서 주문할 수가 없었다. 찰떡도 있다. 치에다까오(切打糕)라고 한다. 치에(切)는 끊다, 자른다는 뜻이다. 다(打)는 친다는 뜻이니 인절미를 만드는 과정을 생각하면 쉽다.

1. 깐또우푸
2. 위쓰

까오(糕)는 떡이나 케이크이다. 보통 꿀과 함께 나온다. 순대와 찰떡, 냉면을 묶어서 메뉴판에 연변 또는 조선 특색 음식이라고 분류해 놓은 식당도 더러 찾아볼 수 있다.

깐또우푸(干豆腐)와 위쓰(鱼丝)도 동북 특산이다. 깐또우푸는 말린 두부피다. 우리에게는 낯설지만 한번 먹기 시작하면 쉽게 익숙해진다. 북경에서의 1년 동안 훠궈에도 많이 넣어 먹었다. 말린 두부피를 오이 같은 채소와 함께 무쳐서 내온다. 반찬의 개념이라 반 접시도 주문이 가능하다. 위쓰는 명태포다. 밥반찬으로 많이 먹는 오징어채랑 흡사한데, 좀 더 굵고 씹는 맛이 있다. 매콤한 위쓰는 사실 요리라기보다는 술안주다. 맥주에 위쓰, 삶은 땅콩만 있으면 남부럽지 않은 술상이 된다. 원래 한민족은 명태를 많이 먹는다. 연변을 비롯한 동북의 조선족들도 예외가 아니다. 내장까지 알뜰하게 요리해 먹는다. 속을 파내고 다양한 재료를 채워 넣어 찐 명태 순대도 있다. 기왕에 연변 식당에 와서 전통의 맛을 즐기기로 한 것이니 잡채도 주문한다. 우리의 그것과 맛이 같다. 메뉴판에서 차오자차이(炒杂菜)를 찾으면 된다. 김치도 따로 판다.

중국 땅에서 살다 보니 중국 문화와 섞이는 것이 당연하다. 자는 것, 입는 것, 먹는 것이 모두 그렇다. 하얼빈에서 시작한 꿔바로우는 모든 중국 식당에 있을 정도로 대중화됐지만, 특별히 연변 식당에서도 인기다. 싼촨렁미엔을 다녀간 현지인들은 꿔바로우(锅包肉)를 이곳의 대표메뉴로 꼽기도 한다. 후기 중에는 다른

1. 차오자차이
2. 꿔바로우
3. 옥수로 만든 온면

식당에서 먹은 꿔바로우와는 차원이 다르다는 극찬도 있다. 언뜻 보기에 요리가 쉬운 꿔바로우가 사실은 조리사 시험의 필수 과목이다. 겉튀김이 타지 않고 바삭하게 만드는 기름과 불을 다루는 솜씨를 본다고 한다. 양꼬치 식당이든 냉면 식당이든 꿔바로우를 빼놓을 수 없고, 주관적이지만 다른 곳보다 맛있다.

옥수수로 만든 면을 뽑아낸 온면도 있고 콩나물로 담근 물김치도 있다. 식당에 따라서는 기름을 짜낸 콩가루를 짓이겨 유부초밥처럼 밥을 싼 후, 된장에 찍어 먹는 인조고기 밥도 있다. 모두 먹어보려면 한 번 가지고는 안 된다. 아마 냉면 육수를 한번 들이키면 자연스레 여러 번 찾게 될 듯도 하다. 우리 할아버지 할머니들이 먹던 억척스런 음식들이 북쪽으로 발길을 향한 뒤 약간 달라지고 나름대로 발전했다. 굳이 그런 역사를 따질 것을 권유하지 않아도, 연변 식당에서 밥을 먹을 때면 이런저런 생각이 드는 것은 어쩔 수가 없다.

RESTAURANT TIP   三泉冷面 sānquánlěngmiàn

🕐 **가는길**　　북경의 코리아타운인 왕징에 2곳이 있다. 홀리데이인 호텔 앞. 롯
데마트 건물에 있는 2호점이 시설이 조금 더 낫다. 하지만 2017
년 봄에 찾았을 때는 건물 전체를 리모델링 중이라 상당히 어수선
했다. 1호점은 사람이 많아 항상 북적인다.

📍 **주소**　　北京市 朝阳区 望京南湖北路 旺角广场 北门 4층(1호점)

📞 **전화번호**　　001-64753077(1호점)

💰 **예산**　　비싸지 않은 식당이다. 요리들은 대체로 30위안〜50위안
(5,100〜8,500원)이면 충분하다. 냉면과 온면 같은 주식두 크기에
따리 디르긴 하시만 20위안(3,400원) 안팎이다.

玉流馆
yùliúguan

북경에서 맛보는
가깝고도 먼 북한의 맛

옥류관

북한요리

玉流馆
yùliúguǎn

⋛ 식탁에 놓인 정치적 풍경 ⋚

2018년 봄 한반도에 극적인 반전이 일어났다. 추위가 가시지 않았을 때, 가시 돋친 말이 오가고 미군의 북한 폭격 가능성이 진지하게 언론에 거론되는가 싶었는데, 전문가들도 현기증이 난다고 할 만큼의 대전환이 일어났다. 문재인-김정은, 남북의 정상이 연이어 만나는가 싶더니 분단 이후 처음으로 김정은-트럼프가 만나는 장면도 볼 수 있었다. 이게 실화냐 싶어 눈 비비고 봐야 할 역사적 이벤트들이 눈앞에 흔했다. 한반도에 평화는 오는가라는 담론이 일상의 주요한 이야깃거리가 될 정도다.

또 하나의 화제도 있었다. 평양 옥류관의 냉면이다. 김정은 북한 국무위원장은 문재인 대통령과의 정상회담 때 평양의 옥류관에서 냉면을 공수해 왔다. '멀다고 하면 안 돼갔구나' 김정은 위원장이 옥류관 냉면을 소개하며 한 이 말은 정상회담을 지켜본 대한민국 사람들의 인상에 깊이 박혔다. 다음날 평양냉면 식당들에 길게 늘어선 줄은 시민들의 관심을 반영한다. 입에 물고 힘차게 냉면 가락을 빨아올리며 진짜 평양에서 냉면을 맛볼 날이 언제 올까를 기대감에 부풀어 떠들어댔다.

한껏 유명세를 치렀지만 옥류관은 사실 북경에도 있다. 북경의 코리아타운인 왕징은 외곽에 위치해 공항에서 가깝고 신도시처럼 뒤늦게 개발된 곳이다. 주중 대사관의 공식 집계만으로도 한국인이 6만 명쯤 거주한다. 한국인이 모여 사는 3구와 4구 거리에는 한글이 병기된 간판이 수두룩하다. 파리바게뜨, 뚜레쥬르 같은 체인점도 많아 중국어를 전혀 못 하는 한국인도 익숙하게 찾아다닐 수 있다. 코리아타운에 한국인만 사는 것은 아니다. 우선 조선족도 많이 산다. 초기 중국에 진출한 한국인을 도와 통역 등 보조 업무를 하며 동북 3성에서 넘어온 조선족들은 이제는 왕징에서 어엿한 큰손이다. 부동산 가격이 고공행진을 하면서 집을 타고 돈방석에 올라 날아오른 이들이 수두룩하다. 그리고 또 다른 한민족이 코리아타운에 산다. 바로 북한 사람들이다. 한국 마트에서 장을 보고, 한국인 대학생에게 과외를 시키는 북한인들에 대한 이야기가 가끔 술자리에서 화제가 된다. 왕징에 거주하는 북한 사람은 외교관이나 무역을 하는 외화벌이 일꾼들인데, 역시 적지 않은 수일 것으로 추정된다. 같은 코리안인데 국적이 서로 다르다. 분단이 준 풍경이다.

왕징에는 한국 음식, 조선족 음식, 북한 음식을 전문으로 하는

식당들이 저마다 자리 잡고 있다. 그래도 한국 사람 눈에는 북한 식당이 제일 묘하게 보인다. 손님으로 들어가 돈 주고 사 먹는 것이 뭐가 다르겠냐마는 휴전선을 사이에 두고 무장한 채 서로를 겨눈 지 70년이 넘다 보니 처음 들어갈 때 약간 긴장되는 것은 어쩔 수 없다. 남북 관계가 안 좋을 때면 대사관에서는 현지 교민과 주재원들에게 북한 식당 출입을 자제할 것을 권고하기도 한다. 남북 관계에 따라 식당이 롤러코스터를 탄다. 대기표를 받아야 할 정도로 관광객이 몰리다가도 어느 순간 텅 빈 홀에서 서넛이 식사하는 광경을 보기도 한다. 밥 먹는 것뿐인데도 정치적 현실을 비켜가지는 못한다.

그전에도 다큐 제작으로 중국에 들어왔을 때 간혹 들리긴 했지만, 1년을 예정하고 짐을 푼 다음에는 찾는 횟수가 잦아졌다. 하지만 머물던 2017년의 정세는 고약했다. 핵문제에서 한 발짝도 나가지 못한 남북 관계는 박근혜 정부 4년간 제자리걸음이었다. 더구나 중국 저장성에 있는 류경식당에서 13명의 북한 종업원이 집단 탈북해 한국으로 귀순하면서 분위기는 살벌해졌다. 김정은이 보복 테러를 지시했다는 소문이 돌면서 북경에 있는 북한 식당에는 냉기가 돌았다. 관광객들이 발길을 돌리고 현지 한인들도 혹시나 하는 마음에 꺼렸다. 김정남이 백주 대낮에 말레이시아 공항에서 암살당하면서는 그나마 드나들던 사람들의 발길도 멈췄다.

북한 식당의 백미는 한복을 곱게 차려입은 여성 봉사원 동무들의 공연이다. 원래 낮 12시 반, 저녁 7시 반 두 차례인데, 낮 공연은 취소된 지 오래였다. 서너 명 앉아있는 썰렁한 홀에서 손님보다 많은 인원이 무대에 올라갈 수도 없는 노릇이다.

≳ 평화의 상징이 된 옥류관 평양냉면의 맛 ≲

그래도 완전히 발걸음을 끊지 못한 것은 냉면 때문이다. 북한 요리의 특징이야 맛을 좋아하는 사람들의 입으로 이런저런 이야기들이 오르내리겠지만, 대표 선수 중 하나가 냉면이라는 점은 일치할 듯싶다. 김정은 위원장이 공수해 왔다는 그 냉면이다. 중국의 어느 북한 식당을 가도 주메뉴는 평양냉면이다. 기름기 많은 중국 음식에 지쳐서 한국 식당에서 김치를 퍼먹다가도, 중독된 것처럼 떠오르는 냉면의 유혹을 떨치기 힘들었다. 김치를 요리처럼 종류 별로 내오는 것도 한 몫 거들었다. 손님이 없는 홀의 절반은 불을 꺼두어서 때론 음침해 보이기까지 했는데도 꾸준히 드나들 수밖에 없던 이유다.

북경에는 북한 음식을 전문으로 하는 식당이 여러 곳 있다. 옥류관, 해당화, 대성산관, 금강원 등이다. 류경식당과 모란봉도 있었다고 하는데 철수했는지 보지는 못했다. 이 중에 왕징에 있는 옥류관이 제일 크고 유명하다. 공항과 가깝기 때문에 오후 비행기로 한국에 들어가는 관광객들이 마지막 점심으로 시원하게 냉면 육수를 들이키고 가는 곳으로 알려졌었다. 간판에 평양 옥류관 제1분점이라고 쓰여 있다. 정상회담으로 소문나기 이전부터 옥류관은 북한에서도 냉면으로 제일 유명한 식당이었다. 옥류관은 1961년 평양 대동 강변 기슭에서 문을 열었다. 2,000명 이상이 동시에 앉아서 식사할 수 있는 규모가 압도적이다. 남북 관계가 좋았을 때 평양을 방문했던 이들의 기억 속에는 옥류관이 빠지지 않는다. 여성 봉사원이 수령님께서 냉면 먹는 방법을 교시해 주셨다며 차근차근 알려 줬다는 뒷얘기가 많았다. 냉면 먹는 것까지 미주알고주알이었으니 그 수령님도 참 번거로웠겠다는 생각이 들었다. 수령님의 이름을 들먹일 만큼 옥류관의 자부심이 대단하다는 말도 된다.

언제 북경에 진출했는지가 궁금해서 인터넷을 뒤져보니 길림신문의 2010년 기사가 눈에 띈다. "북경에서 요식업으로 성공한 49세 김분화라는 조선족 녀성이 북한 옥류관과 계약해 2004년에 개업했다"고 한다. "북한에서 주방장, 료리사, 복무원, 무용팀 30여 명도 초빙했다. 랭면뿐 아니라 동해 털게찜, 금강산 송이버섯 구이, 조선동해 왕소라전골, 대동강 숭어탕, 평양 통배추 김치 등 수십 종의 '특색 료리' 원재료를 북한에서 수입해 사용함으로써 특유의 전통 맛을 살리고 있다"고 기사는 전한다. 재밌는 것은 지금 옥류관에는 옥류관 출신 주방장이 없다는 전언들이다. 옥류관 출신 주방장이 있는 북한 식당은 대성산관인데, 먼저 이름을 선점한 옥류관에 밀려 대성산관이라는 간판을 달았다고 한다. 대성산관은 북경에 있다가 수십 킬로미터 떨어진 옌지아오(燕郊, 연교)라는 곳으로 옮겼다. 단골들은 차로 한 시간여를 달려 일부러 찾아간다고도 한다. 옥류관에 간 김에 혹시나 해서 물어봤더니, 주방이나 홀 서빙이나 모두 평양에서 왔다며 왜 묻냐고 되묻는다. 미국 주방장이 일해도 평양에서 왔다고 말할 그들이다. 따지러 간 것이 아니었기 때문에 서로 웃음으로 얼버무렸다. 저녁 7시에는 30분 동안 공연도 한다. 기사에 나온 대로 초빙해온 무용팀의 공연인가 했다. 하지만 현지인들은 종업원들이 하는 공연으로 알고 있다. 무용팀으로 초빙된 동무들이 종업원까지 하는 것인지, 종업원으로 온 동무들이 공연까지 하는 것인지는 알 수 없다.

　차갑게 식힌 육수에 국수를 말아 먹는 냉면은 조선 시대 동국
세시기(東國歲時記)라는 책에도 나온다. 메밀국수를 무김치에 말
아 돼지고기를 섞은 섯을 냉면(冷麪)이라고 했다는 기록이다. 음
력 11월에 먹는 음식이라고 했으니 겨울 음식이다. 냉면이 겨울
음식이라는 얘기는 냉면 애호가 선배들에게 여러 번 들었었다.
'이냉치냉'이라고 윙하는 겨울바람 소리를 들으며 아랫목에 앉아
턱이 시릴 정도로 차가운 동치미 국물에 국수를 말아 먹는 것이
제맛이라는 글도 있다. 지금이야 사계절을 가리지 않는다. 고종
황제도 냉면을 즐겼다. 동치미 국물에 만 국수 위에 배와 편육만

1. 옥류관 냉면
2. 옥수수 온면

올려 야식으로 먹었다고 한다.

옥류관 냉면은 소고기, 닭고기, 꿩고기로 육수를 낸다고 하는데 시원한 육수를 목으로 넘기는 맛을 잊기 어렵다. 무김치와 양념, 계란을 얹어 내오는데, 봉사원이 옆에서 식초를 몇 방울 떨궈 휘휘 저어준다. 빨간 양념이 한 움큼 얹혀 있다. 서울 을밀대에서 먹던 평양냉면은 양념이 없어 멀건 국물에 고춧가루가 전부인데, 차이가 있다. 어떤 것이 평양식일까 궁금했다. 중국인들에게는 심심한 맛의 평양냉면은 익숙한 맛이 아니다. 아무 맛도 안 나는 맛이라고 한다. 옥류관에 와서 냉면을 시켰다가 소금, 설탕, 식초 등을 달라고 해서 간을 맞춰 먹었다는 사람도 있었다. 면발은 메밀로 만든다고 한다. 메밀치고는 쫄깃함이 살아있는 것이 전분을 섞은 듯하다. 놋대접에 내온다. 놋대접에 담겨있는 맑은 육수가 보기만 해도 시원하다. 보는 맛도 있다. 100g이 제일 작은 그릇이고 150g, 200g도 있다. 다른 요리와 먹기엔 100g이면 충분하다. 겨울에는 온면도 먹음직하다. 옥수수 온면이다.

⪢ 조선 특색 료리 ⪡

냉면과 함께 옥류관을 찾게 되는 또 하나의 이유는 김치다. 메뉴판을 펼치면 김치만 한 가득이다. 통배추 김치, 총각김치, 백김치, 굴깍두기, 모둠 김치 등 종류도 다양하다. 요리처럼 한

모둠 김치

두 접시 시키면 김치로만 젓가락이 간다. 왜 이리 맛있냐고 물어봤다. 호호호 웃으며 건물 뒤에 항아리를 묻어 놓고 직접 김치를 담가 저장하기 때문이라고 답한다. 김치를 요리처럼 먹는 것은 이국이니까 가능한 일이다. 한국 식당이 여기저기 널려있는 왕징이고, 음식을 시키면 당연히 주는 것이 김치지만, 옥류관 김치는 일부러 돈 주고 사 먹으러 갈 가치가 있다. 중국을 찾는 친구들에게 몇 번 권했었는데, 그때마다 찬사가 이어졌다. 요리 가격을 받는 것이 한 가지 흠이다. 통배추 김치 한 접시에 30위안(5,100원), 개성보쌈김치는 한 접시에 38위안(6,460원)이다.

중국 요리도 취급하긴 하지만 옥류관에 왔으면 조선 특색 료리를 먹어야 한다. 종업원은 해산물을 추천한다. 조선의 깨끗한 바다에서 잡았다고 강조한다. 북한산 수산물은 중국에서 인기가 좋다. 조선의 동해 바다는 청정 지역이라는 인식이 있다. 북한의 낙후한 경제는 되려 오염이 덜 된 바다라는 인상을 만든다. 동해 왕소라 전골을 주문했다. 주먹만 한 커다란 소라가 일종의 그릇이다. 잘게 자른 소라와 버무린 양념에 육수를 부어 나온다. 소라 밑에 불을 붙여 나오는데 보글보글 끓으면 소라 전골이 된다. 1인용이다. 육수는 계속 부어준다. 한 숟갈 떠서 천천히 목으로 넘기

1. 동해 왕소라 전골
2. 대동강 숭어탕

면 딱 술안주다. 술꾼들이 좋아할 만한 국물이다. 봉사원도 옆에
서 술을 권한다. 하지만 맥주 이외의 북한 술은 가격이 사악하다.
허허 웃으며 시키기 시작하면 소 판 돈 털리는 소 장사치 꼴이 날
수 있다. 1개가 88위안(14,960원)이니 소라 전골의 가격도 비싼 편
이다. 메뉴판을 훑어보니 해산물은 가격대가 제법 있는 편이다.
대동강 숭어탕도 시켰는데, 잔가시가 많았다. 평양에서는 숭어국
을 먹어야 손님 대접을 한 것으로 쳐준다는데, 국물은 다소 심심
했고, 와 할 만큼은 아니었다.

량강도 언 감자떡이 맛있었다. 양강도와 자강도는 우리 함경도
와 평안도의 북쪽에 해당하는 북한의 행정구역이다. 감자가 주식
이다. 겨우내 언 감자를 말린 다음 가루를 내 반죽한다. 콩을 넣
어 찌면 언 감자떡이다. 참기름을 바르는데 반질반질하고 젓가락
이 자꾸 미끄러진다. 송편과 닮은 듯 닮지 않은 듯한 맛이다. 사
위를 고를 때 감자떡을 젓가락으로 떨어뜨리지 않고 집을 수 있
는지를 봤다고 하는데, 젓가락에 얼마나 힘을 줬을까라는 생각
을 했다. 오징어 순대도 주문했다. 속초 같은 강원도 동해안에 가
면 북을 고향으로 둔 실향민들이 하는 식당에서 먹어본 기억이
있다. 봉사원 동무가 사근사근 웃으며 뜨거운 요리가 없다고 주
문을 부추긴다. 철판명란고지볶음을 주문했다. 뜨겁게 달군 철판
에 명란과 채소를 볶아 내오는데 먹을 만하다. 손님이 워낙 없는
점심이라 봉사원도 이런저런 얘기를 많이 한다. 서울은 생활 수
준이 높다고 들었다, 저녁에 공연하니 다시 오라는 말을 한다. 북

1. 량강도 언 감자떡
2. 오징어 순대
3. 철판명란고지볶음

한 사람을 대면해서 대화할 기회를 갖는 것은 한국에서는 불가능한 일이다. 처음 오는 관광객들은 기념으로 이들과 사진을 찍기도 한다. 다시 관광객으로 북적여야 먹는 재미도 있을 듯했다.

북한 식당에서 먹어 봤다는 말에서 정치적인 호기심을 배제할 수는 없다. 하지만 분단, 통일 같은 무거운 단어를 잠시 잊더라도 냉면과 김치만으로도 여러 번 들러봄 직하다. 평양 사람들의 냉면 사랑은 일제 강점기 때부터 유명했다. 1920년대에 평양 시내에 있는 냉면집 수십 곳이 냉면 조합을 만들었을 정도다. 당시 소설 중에 『냉면(冷麵)』이 있다. 김랑운이라는 소설가의 작품이다. 돼지 편육과 채를 썬 배 한 쪽, 노란 겨자가 위에 수북한 냉면 한 그릇을 묘사하고 있다. 먹어보고 싶다면 북경 옥류관이다. 머지 않은 미래에 평양 옥류관을 갈 수 있을까 싶어 자주 드나들었는데, 북경보다 훨씬 가까운 평양 옥류관이 눈앞에 있다. 2018년 한반도의 해빙이 계속 갈 수만 있다면 북한의 먹거리들로 채워질 풍요로운 식탁을 떠올려 본다. 평생 북한 전문가로 살아온 어느 노교수께서 지금은 분석이 필요한 때가 아니라 상상력이 필요한 시점이라는 말을 했다고 한다. 평양 옥류관의 분점은 서울이 제격이다. 대구, 부산, 광주 가릴 것 없이 분점을 열고 식탁 위의 교류가 일상이 되는 그날을 상상해본다. '멀다고 하면 안돼갔구나' 라던 말이 계속 머리를 떠나지 않는다.

RESTAURANT TIP

玉流馆 yùliúguan

🕐 **가는길**
북경의 코리아타운인 왕징을 아는 사람이라면, 교문호텔을 모두
안다. 한글로 큼지막하게 쓰여 있다. 왕징 지하철역에서 가깝다.
교문호텔을 지나 조금만 더 걸으면 옥류관이다. 분홍색으로 칠한
커다란 건물이다.

📍 **주소**
北京市 朝阳区 望京湖光中街8号

📞 **전화번호**
010-64732803, 010-64737472

💰 **예산**
중국 식당에 비하면 확연히 비싸고, 한국 식당과 비교해도 싸지
않다. 특히 술이 비싸다. 들쭉술이나 송이주 같은 술들은 몇백 위
안을 우습게 넘는다. 냉면과 한두 가지 요리 정도가 적당하다.

옥류관 · 245

Part.**3**

북경 특색,
소문난 맛집

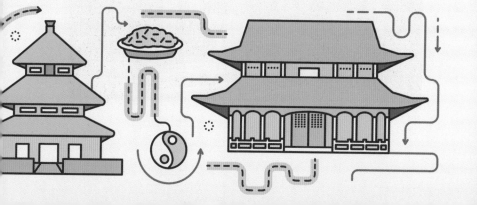

四季民福

sijìmímfú

만리장성을 보지 않으면 대장부가 아니고,
오리구이를 먹지 않으면 여행이 아니다

북경 오리구이

쓰찌민푸

四季民福
sìjìmínfú

ˎ 오리구이가 북경 대표 요리가 되기까지 ˎ

클린턴도 먹고 김정일도 먹었다. 북경을 여행하는 한국 관광객
들이라면 한 번쯤은 맛보게 되는 것. 몇 년 전 〈개그콘서트〉에서
육봉달이 외치던 '맨손으로 북경 오리를 때려잡고 떡볶이를 철
근같이 씹어 먹었다'던 그 북경 오리구이이다. 베이징 카오야(北京
烤鴨)라고 한다. 카오(烤)는 굽는다는 뜻이고, 야(鴨)는 오리를 말
한다. 북경의 오리구이가 워낙 유명해서 보통 '북경 오리구이'라
고 한다. 미국이나 유럽에도 베이징 오리(Peking Duck)로 알려져
있다. 하지만 오리구이가 북경을 대표하는 요리가 된 역사는 생
각만큼 길지는 않다.

남북조 시대 중국 역사에 대한 책을 읽다 보면, 남방의 군사들
이 연잎에 오리를 싸서 쪄먹으며 전투를 치렀다는 기록이 있다.
600년 전인 1416년에 난징에서 피엔이팡(便宜坊, 편의방)이라는

오리구이 식당이 문을 열었다. 명을 건국한 주원장은 이 식당의 오리구이 맛에 반해 거의 매일 오리구이를 먹었다고 한다. 명이 수도를 북경으로 옮기면서 난징 오리구이도 북상했다. 황제가 즐겨 먹는 요리는 삽시간에 북경의 진미가 됐다. 명을 몰아내고 자금성을 차지한 청나라 황실도 오리구이를 즐겨 먹었다. 청의 전성기를 이끌던 건륭제는 13일 동안 8번이나 오리구이를 먹었다'는 기록이 있다. 절정은 청나라 말기, 서태후다. 서태후는 오리고기를 무척 좋아했다. 특히 오리 혀를 즐겨 먹었다고 하는데, 당시 궁녀가 남긴 기록에 오리 혀를 고기와 함께 쪘다는 기록이 있다. 1861년, 서태후의 31세 생일상에 20개의 일품요리가 올랐다. 오리구이, 오리탕, 오리콩팥찜 등 그중 8가지가 오리를 기본으로 한 요리다.

강남의 오리구이는 황실의 입맛에 맞춰 바뀌어 갔다. 북경 오리는 다리가 짧고 체구가 큰데 생후 2개월이 되면 운동을 시키지 않고 가둬 키운다. 그렇게 살을 찌워 지방 함량이 최고일 때 잡는다. 부드러운 육질을 얻기 위해서다. 예나 지금이나 인간은 잔인하다. 대추나 배처럼 과일이 열리는 나무의 장작으로 불을 때서 천천히 굽는다. 껍질이 붉어지고 기름이 빠져나간 흔적으로 반질거리면 북경 오리구이 특유의 색과 맛이 완성된다. 껍질은 바삭하고 고기는 부드럽다. 기름기가 빠져, 많이 먹어도 느끼하지도 질리지도 않는다는 것이 북경 오리구이의 자랑거리다. 홍콩에서도 오리구이를 먹은 적이 있었는데, 확실히 북경의 것이 훨씬 담백하다.

≷ 기다림은 미식의 기본 ≷

과장을 좀 보태 우리 치킨집만큼 많다는 북경 오리구이 식당 중에 쓰찌민푸(四季民福)를 추천받았다. '사계절 내내 국민들이 복 되라'는 뜻이니, 식당 이름의 뜻이 좋다. 식당 이름에 쓰인 '복'은 아마 먹을 복일 것이다. 동행한 중국 친구가 팁을 준다. 오리가 너무 빨리 나오면 미리 구워 놓은 오리란다. 당연히 주문하고 나 서 만들어내는 오리보다는 맛이 떨어진다. 그래서 전통의 북경 오리를 먹을 때는 재스민차를 마시면서 북경 전통 딤섬을 곁들여 한참을 기다리다가 먹어야 한다는 이야기였다. 한국 사람들의 빨

1. 쑤샹녠카오야와 야삥, 카오야사오라오
2. 바삭한 껍질

리빨리 정서를 잘 아는 친구라 진담 반 농담 반 해준 얘기였다. 시간을 두고 정성껏 구운 오리는 살이 부드러워서 치아가 좋지 않은 자기 할머니도 잘 먹는다는 말을 덧붙였다.

오리구이가 북경의 대표 음식으로 자리매김했기 때문에 오리구이 식당들은 보통 북경 요리를 함께 한다. 이곳도 오리구이와 징차이(京菜, 북경 요리) 전문 식당이라고 한다. 식당에 들어가면 바로 활활 타고 있는 장작불과 그 위에 걸려 있는 오리를 볼 수 있다. 손님들이 보기 편하도록 투명한 유리로 벽을 만들어 놨다. 갈색과 붉은색의 경계 즈음으로 먹음직스럽게 오리 몇 마리가 구워지고 있었다. 메뉴를 고민할 필요는 없이 쑤샹넌카오야(酥香嫩烤鸭), 오리구이이다. 넌(嫩)은 연하다는 뜻이다. 보통 한 마리를 시키면 서너 명이 먹을 수 있다. 둘이 반 마리를 먹다가 남긴 적도 있다. 오리는 지(只)라는 단위로 센다. 세 명이 갔었는데, 종업원이 한 마리(一只)면 충분하다고 말해준다. 얼핏 생각에 모자랄 것 같지만, 오리구이를 먹는 방법 때문에 생각보다 쉽게 배가 찬다. 오리구이와 함께 야삥(鸭饼)을 시킨다. 삥(饼)은 밀가루로 만든 얇은 전병이다. 카오야샤오랴오(烤鸭小料)도 1인당 하나씩 준다. 랴오(料)는 재료라는 뜻인데, 전병에 함께 싸먹을 수 있도록 파와 오이 같은 생야채를 얇게 채 썰고 단맛이 나는 장과 각종 향신료 다진 것을 함께 내온다. 쓰찌민푸는 다른 오리구이집과 달리 다진 마늘, 샨자(山楂, 새콤한 맛의 산사나무 열매)라는 과일, 시엔차이(咸菜, 장아찌, 짠지라고도 한다) 등도 함께 준다. 잘 구워져 야들

장작불에 구워지는 오리를 직접 볼 수 있다. 다 구워지면 요리사가 껍질과 살을 능숙하게 발라내준다.

한 오리 살을 전병에 얹고, 그 위에 야채와 장을 올려 싸 먹는 것
이 북경 오리구이를 먹는 방법이다. 쉽게 배가 불러오는 이유다.
바삭한 껍질은 설탕에만 찍어 먹는다. 바스러질 시간도 없이 입
에서 살살 녹는다. 껍질이 얼마나 잘 구워졌는지를 가지고 그 식
당의 수준을 평가한다는 말을 들은 적이 있다.

오리가 다 구워지면 요리사가 장작불 앞에서 날렵한 칼솜씨로
썰어준다. 뼈와 살을 발라내는 속도는 일종의 묘기다. 종업원이
저 오리가 우리가 주문한 것이라며 알려준다. 요리의 과정을 보
란 얘기다. 식당에 따라서는 식탁 바로 옆에서 뼈와 살을 발라주
기도 한다. 한 마리를 가르면 껍질과 살이 정갈하게 담겨 두 접시

아찌아쭈어탕

가 나온다. 머리와 다리 구이는 따로 작은 접시에 담아준다. 남은 오리 뼈로는 야찌아쭈어탕(鴨架做湯)을 탕을 끓여준다. 찌아(架) 는 보통 선반 같은 구조물을 말하는데, 사람이나 동물에 쓰면 뼈 라는 뜻도 있다. 커다란 대접의 탕이 나온다. 살도 몇 점 튼실하 게 들어 있다. 하지만 탕은 호불호가 있다. 오리구이를 못 먹는 한국인은 못 봤는데, 오리뼈 탕을 입맛에 맞지 않아 하는 사람은 제법 있다. 맛은 담백한 편인데, 탕이 좀 식으면 오리 특유의 누 린내가 나기 때문에 입맛에 맞지 않으면 굳이 숟가락을 댈 필요 는 없다. 고기를 남기면 볶아주는 식당도 있다고 들었는데, 이곳 은 탕만 내온다. 사실 고기가 남는 경우는 거의 없다.

⋟ 북경 오리 맛집들

'북경에 와서 만리장성을 보지 않으면 대장부가 아니고, 오리
구이를 먹지 않으면 여행이 아니다'라는 말이 있다. 처음엔 오리
구이 식당에서 만든 말이 아닐까 했었다. 그만큼 유명한 오리구
이 식당이 많다. 첫손가락에 꼽는 곳은 단연 취엔취더(全聚德, 전
취덕)이다. 청나라 때 문을 열어 150년의 역사를 자랑하는 식당
이다. 그동안 구워낸 오리만도 거의 2억 마리쯤 된다는 가장 유
명한 식당이다. 본점은 1,500명을 한 번에 수용할 수 있을 만큼
크다. 중국을 방문한 외국의 국빈들이 들려 식사하는 장소로도
유명하다. 왕푸징이나 첸먼 같은 유명 관광지의 지점에는 항상
줄이 길게 늘어서 있다. 따동 카오야(大董烤鴨)도 유명세를 떨치
는 식당이다. 따동은 이 식당 주인의 이름이다. 키가 2m쯤 된다
는데, 오리구이 요리에 대한 각종 옛 문헌을 찾아본 후, 자신만의
비법을 만들어냈다고 한다. 기름기를 쏙 빼는 방법을 개발해, 지
방 함량이 다른 오리구이 식당에 비해 적다고 한다. 1996년에 개
업해서 그런지 식당 분위기도 예스러운 느낌과는 전혀 다른, 도
시적인 깔끔함을 느낄 수 있다. 샤오왕푸(小王府)와 야왕(鴨王) 같
은 곳도 유명하다. 찐바이완(金百万)은 관광객이나 외국인보다는
현지인들이 많이 찾는데, 상대적으로 가격이 저렴하다.

오리구이는 식당에 따라 가격의 폭이 큰 편이다. 동네 식당에
서 먹으면 50~100위안이면 한 마리를 세트로 먹을 수 있는데, 관

광객이 몰리는 취엔취더나 따동 카오야에서 먹으면 두세 배를 넘는다. 한 마리에 200~300위안을 넘는 오리도 있다. 쓰찌민푸도 저렴한 식당은 아니다. 한 마리에 188위안이다. 우리 돈 3만 원쯤 한다. 두세 명이 갔을 때는 반 마리만 시켜도 된다. 북경을 찾는 지인들을 접대하느라 가장 많이 먹어본 음식이 오리구이다. 취엔취더, 따동 카오야, 샤오왕푸 모두 가봤다. 그래도 개인 취향에 쓰지민푸가 가격대비 만족도가 높았다. 워낙 유명한 곳들이라 항상 북적거리는 것은 감안해야 한다.

⫸ 북경 오리만 먹을 순 없지! ⫷

오리가 구워지는 시간이 있어 다른 요리도 주문했다. 뻬이레이카오로우(贝勒烤肉)는 우리 언양 불고기처럼 잘게 채 썬 고기를 바싹 구워낸다. 돼지고기는 아니고 양고기다. 뻬이레이(贝勒)는 청나라 귀족이 세습하던 관직의 이름이다. 오리구이도 그렇고 북경을 내세우는 요리들에는 명·청 시대에 흔적이 진하다. 미즈쑤피시아(蜜汁酥皮虾)는 큰 새우를 껍질째 튀겨서 마늘 향이 진한 달콤한 소스에 버무린 요리다. 나쟈샤오관(那家小馆)이라는 유명한 청나라풍의 식당에서 꼭 먹어봐야 하는 메뉴가 미즈쑤피시아다. 대하를 튀겨 소스에 버무리는 방식도, 바삭하고 달콤한 맛도 비슷하다. 나쟈샤오관은 비법 소스라는 뜻의 미즈(秘制)라는

1. 뻬이레이카오로우
2. 미즈쑤피시아
3. 라오베이징자쟝미엔

단어를 쓴 데 비해, 달콤한 즙이라는 뜻의 미즈(蜜汁)를 쓴 것만 다르다. 양은 비슷한데 가격은 나쟈사오관의 48위안보다 많이 비싼 88위안이다.

　동네 식당의 시끌벅적함과 옆 사람과 어깨를 부딪혀 가며 먹는 소박한 맛은 없지만, 깔끔한 인테리어에서 즐기는 자장미엔도 한 번쯤 먹어볼 만하다. 주식으로는 북경 식당다운 라오베이징자장미엔(老北京炸酱面)을 추천한다. 잘 볶은 검은 장과 생야채를 김이 모락거리는 삶은 면과 함께 내어준다. 평소 자장미엔을 별로 좋아하지 않는다는 중국인도 쓰찌민푸의 자장민엔은 먹어볼 만하다고 추천한다.

　오리구이를 전문으로 하는 유명한 식당 앞에서는 오리 마스코
트를 쉽게 찾아볼 수 있다. 취엔취더 앞에는 사람 키만 한 큰 오
리 조형물이 있다. 오리 인형을 파는 곳도 있다. 쓰찌민푸도 입
구에 들어가면 날렵해 보이는 노란 오리 두 마리가 손님을 맞이
한다. 〈6시 내 고향〉을 제작할 때 충북 보은의 한우 농장을 촬영
한 적이 있다. 프로그램의 마무리는 거의 해당 농작물을 이용해
한 상 잘 차려낸 후, 마을 사람들과 먹는 장면이다. 끔뻑거리는
한우의 맑은 눈망울을 촬영하고 곧이어 지글거리며 한우 굽는 장
면을 촬영했던 적이 있다. 굳이 씨익 웃고 있는 귀여운 오리 얼굴
을 보고, 들어가자마자 장작불 위 꼬챙이에 걸려 있는 오리구이
와 마주해야 한다는 게 참 짓궂다는 말 이외의 적당한 표현이 떠
오르지 않는다. 그래도 먹다 보면 정신줄을 놓게 된다. 식당에 따
라 오리 캐릭터 인형이나 오리가 새겨진 젓가락 받침대 같은 소
품을 판매하는 곳도 있으니 기념품으로도 생각해 볼 만하다.

四季民福 sìjìmínfú

🕐 **가는길**

식당 명함에 10곳의 지점 주소가 나와 있다. 관광객들이 몰리는 북경의 중심인 자금성, 왕푸징, 첸먼에 모두 지점이 있어 찾아가기 편하다. 코리아타운인 왕징에도 있다. 북경 거주 한인들은 물론 현지 중국인들 사이에서도 맛집으로 서서히 소문나기 시작한 식당이다. 지점의 수는 계속 늘어날 듯하다. 왕징에는 두 곳이 있다. 교문호텔 맞은편 왕징난후똥위엔(望京南湖东园店)지점에 갔었다.

📍 **주소**

北京市 朝阳区 南湖北路 南湖东园 二区 224号楼 1층

📞 **전화번호**

010-64733858

🏺 **예산**

오리구이 한 마리가 188위안(31,960원), 싸먹는 밀전병이 6위안(1,020원), 장과 야채가 1인당 3위안(540원), 오리뼈 탕이 15위안(2,550원)이다. 한 마리에 다른 요리 두어 개를 곁들이고 주식을 먹으면 4인 기준 푸짐한 한상이 된다. 1인당 100위안(17,000원)은 넘게 잡아야 한다.

那家小馆
nàjiāxiǎoguǎn

식탁 위에 남겨진
만주족과 청나라의 흔적

청나라 요리
나쟈샤오관

那家小馆
nàjiāxiǎoguǎn

≷ 식탁에서 찾는 역사의 발자취 ≷

지금의 중국은 청나라의 중국이다. 초한지와 삼국지의 무대인 중원은 황화를 위아래로 할 뿐이다. 현대 중국의 경제 성장을 선도한 장강 이남의 남쪽이 개발된 것은 그 후의 일이다. 남방이 역사의 영역에 들어왔지만 장성 이북 지역은 여전히 이민족의 땅이었다. 지금의 동북 3성인 만주와 중국 지도에서 큰 덩어리를 차지하고 있는 신장 위구르, 티베트는 모두 중국인을 움츠러들게 만들던 지역이었다. 결국 이민족들이 몇 차례에 걸쳐 중원을 집어삼킨 것이 중국 역사의 한 축이다. 남북조 시대에는 장강 이북을 모두 북방 민족들이 번갈아 차지했다. 칭기즈칸의 후예들은 남방까지 먹어치우고 세계 최대 제국을 일궈냈다. 그리고 마지막은 만주의 여진족이었다. 여진족이 자랑하던 최고의 기마병 만주 팔기는 중원의 주인인 한족뿐 아니라 변방 각지의 민족들을 무릎

꿇리고 지금의 중국 영토를 만들어 냈다.

천년만년 갈 것 같았던 청나라는 12대 황제 선통제를 끝으로 막을 내렸다. 마지막 황제로 유명한 '푸이'다. 그리고 만주족은 소멸의 길을 걷고 있다. 만주어를 할 줄 아는 사람은 근거지였던 옛 만주 땅, 동북 3성에서도 찾아보기가 힘들다. 만주를 여행한 적이 있다. 만주족은 지금 중국 정부의 관리를 받는 소수 민족이다. 만주족 자치현 같은 행정 단위로 보호된다. 소수민족의 자치 행정 단위에서는 그 민족의 글을 간판에 병기하는 것이 중국의 법이다. 연변 조선족 자치주의 우리말 간판을 보면 알 수 있다. 하지만 만주족 자치현에서 만주족의 문자를 보기는 힘들다. 만주족으로서의 정체성도 얼마나 남아 있는지 의문인 것이 현실이다. 중국의 최대 영토를 만들어준 만주족의 웅대한 기상은 찾을 길이 없다. 청나라를 건국한 누르하치가 알면 무덤 밖으로 뛰쳐나올 일이다. 역사라는 것은 돌아보면 덧없어질 때가 있다. 만주족은 무대에서 내려갔지만 그 몇몇 흔적을 더러 찾아볼 수는 있다. 중국 여인들의 옷이라고 알고 있는 치파오(旗袍)는 사실 만주 팔기(八旗)의 부인들이 입던 옷이다. 깃발이라는 한자 치(旗)에서 그 유래를 찾을 수 있다.

음식 역시 마찬가지다. 중국요리를 좀 안다는 사람들이면 들어본 적이 있는 만한전석. 한족과의 융화를 위해 청나라가 정책적으로 내놓은 요리다. 만주족 요리와 한족의 요리를 각각 절반씩 한 상에 차린 것이 오늘날 중국의 대표 요리 중 하나가 됐다. 지금도 북경에는 만한전석을 한다는 식당들이 꽤 여러 개 있다. 내부는 화려하고 가격은 비싸다. 제비집, 상어지느러미, 해삼, 전복 같은 고급 식재료에 곰발바닥, 사슴힘줄 같은 북방 민족의 흔적이 곁들여진 만한전석은 그 당시에는 108 종류의 요리(북방, 남방 각 54종류)였다고 한다. 지금 맛볼 수 있는 만한전석은 20여 개 남짓한 약식이 대다수다. 가격은 2~300위안이 최저라고 생각하면 무방하다. 주머니가 가벼운 처지라면 쉽지는 않다.

황실 요리사 나씨 가문의 전통

다행히 만한전석까지는 아니지만 청나라의 흔적이 남아있는 식당들도 여럿 있다. 나쟈샤오관(那家小馆)은 한국인에게도 제법 알려진 식당이다. 북경 맛집으로 검색하면 블로그에 체험기들을 어렵지 않게 찾아볼 수 있다. '나씨네 식당'쯤으로 해석할 수 있는데, 청나라 황실 요리사였던 나씨 가문이라고 한다. 메뉴판 첫 장에는 나씨 가문을 소개하는 글이 있다. 황궁(皇宫)이라는 단어가 눈에 들어왔다. 인테리어와 소품 하나하나가 '우리 집은 전통 있는 집이요'라고 말해주는 것 같았다. 입구는 고풍스러웠고 식당 현판 옆으로는 새장에 갇힌 새가 울어댔다. 접시에는 모두 나쟈(那家, 나씨 집안)라는 글자가 새겨져 있다. 메뉴판은 두툼하고 표지를 비단 느낌이 나는 천으로 둘러 고서 같았다. 메뉴판은 청색

1. 2. 내부는 고풍스러운 분위기로 전통있는 식당임을 말해준다.
3. 메뉴판 앞장에는 나(那)씨 집안에 대한 설명이 가득하고 메뉴는 고기부터 야채요리까지 다양하다.
4. 모든 접시에는 나쟈(那家)가 새겨져 있다.

과 홍색 2권으로 나뉘어 요리와 술을 소개하고 있다. 술은 종류별로 모두 있었는데, 사진을 볼 수 있는 주요 술이 와인인 것이 특이했다. 메뉴판에는 아직 팔기(八旗茄子: 가지 요리)와 만족(滿族烧饼: 화덕에 구운 둥글넓적한 밀가루 반죽) 같은 단어가 남아 있었다.

맛집을 다룬 블로그와 책을 뒤져보니 빠지지 않고 등장하는 요리는 미즈쑤피시아(秘制酥皮虾)와 나쟈쯔즈또우푸(那家自制豆腐)였다. 둘 모두 주문했다. 쑤(酥)는 치즈라는 뜻도 있지만 바삭바삭하다는 뜻도 있다. 쑤피시아(酥皮虾)니까 껍질까지 바삭하게 튀긴 새우를 말한다. 비법 소스라는 뜻이 붙어 미즈쑤피시아(秘制酥皮虾)가 완성된다. 주문하니 채 5분도 되지 않아 바로 나왔다. 사람들이 많이 찾는 음식이라는 뜻이다. 맛은 훌륭하다. 큰 새우를 껍질째 튀겨 마늘 향이 강한 소스에 버무렸는데, 씹는 느낌도, 소스의 적당히 맵고 단 맛도 모두 입에 착착 감겼다. 8마리에 48위안(8,160원)이었는데, 이 가격이라면 가성비도 훌륭한 편이다. 더 먹으면 살짝 느끼할 듯했다. 나쟈쯔즈또우푸도 튀긴 요리였다. 나쟈쯔즈(那家自制)라는 글자가 들어간 요리 이름이 많았는데, '나씨 가문에서 직접 만든'이라는 뜻이다. 두부의 겉을 살짝 튀겼는데, 겉은 바삭하고 안은 흐물거리는 부조화가 색다른 요리였다. 튀긴 겉면에 뿌린 소스에서는 짠맛과 단맛이 함께였다. 일부러 포장해가는 사람들도 있는데, 나쟈쯔즈또우푸는 바로 먹어야 제맛이다. 집에 가지고 가서 다시 데워 먹으면 바삭하지만 흐

1. 미즈쑤피시아
2. 나쟈쯔즈또우푸

국물이 일품인 황탄즈는 다양한 종류에 따라 가격이 천차만별이다.

물거리는 식감을 제대로 느낄 수 없다. 한 접시에 10개 조각이 포개져서 나왔는데, 가격은 38위안(6,460원)이었다.

황탄즈(皇坛子)라는 요리가 있다. 탄(坛)은 제단이라는 뜻이다. 중국요리 매니아들 사이에서 유명한 〈차이니즈 봉봉〉이라는 만화책에 등장해 유명세를 탄 음식이다. 각종 재료를 넣고 8시간 이상 푸욱 곤 국물 맛이 일품이라고 책에 나와 있고, 실제 메뉴판에도 앞부분에 커다랗게 추천 요리라고 쓰여 있었다. 버섯부터 전복, 해삼, 샥스핀까지, 들어가는 재료에 따라 가격은 수십 위안에서 수백 위안까지 다양했다. 동행이 세상에 이만한 국물이 없다고 부추긴다. 탕을 반쯤 먹고는 밥을 말아 먹는다고 일러준다. 작은 공기에 밥이 같이 나온다. 첫맛은 약간 느끼했다. 첫인상을 말했더니 맛을 들이면 헤어 나오지 못할 거라고 재차 강조한다.

중국 메뉴판은 앞에는 차가운 음식, 중간에는 뜨거운 음식(주로 메인 요리들이다), 뒤에는 채소요리, 맨 마지막에 주식인 밥과 면, 만두, 빵의 순서대로 배열되어 있다. 볶음밥을 시킬까 하다가 짬뽕 같은 사진이 눈에 띄어서 물어보니까 손님들이 좋아하는 국수라고 한다. 얼큰한 맛일까 궁금해서 시켰다. 나푸치앙궈미엔(那府炝锅面)이니까 역시 나씨 집안에서 만든 음식이라는 말이 앞에 붙어있다. 치앙(炝)은 뜨거운 기름으로 볶은 후 양념과 물을 넣고 삶는다는 뜻이다. 궈(锅)는 몇 번 언급했지만 솥이나 화로라는 뜻으로 훠궈의 '궈'다. 큰 대접과 작은 사발이 고르게 나왔다. 작은 사발인 완(碗)에 한 사람 먹기 적당한 국수가 담겨 나왔다. 사진

나푸치앙궈미엔

으로 봤을 때는 짬뽕처럼 얼큰해 보였는데, 토마토를 듬뿍 넣어 그런 벌건 빛깔이었다. 맵지 않고 걸쭉한 토마토 스프의 느낌이 강했다. 서울 이태원에 프랑스식 집밥을 하는 식당이 있었는데, 홍합과 토마토를 냄비에 가득 넣고 끓인 것이 인기 메뉴였다. 홍합은 없었지만 그 우려낸 국물은 약간 비슷했다. 면은 우동 면발 같았다. 힘차게 빨아들이니 주욱 빨려 올라왔다. 가격 또한 저렴해 작은 한 사발에 12위안(2,040원). 만약 컵밥처럼 길거리 노점에서 팔았으면 아마 줄을 서서라도 한 번쯤 사 먹고 싶은 맛이었다.

⸓ 아이스크림을 본 적 없는 요리사의 상상력 ⸒

후식으로는 싀닝투또우니(世宁土豆泥)를 시켰다. 무엇보다 메
뉴판에 나와 있는 사진에 끌렸다. 아이스크림에 초콜릿을 녹여
뿌려놓은 듯한 비주얼은 고풍스러운 청나라 문양의 접시와 묘하
게 어울렸다. 휴대폰으로 바로 검색을 해보니 황제에게 어떤 서
양 사람이 아이스크림 얘기를 했고, 만들라고 명령하자 아이스크
림을 본 적이 없는 요리사가 상상으로 만들어 황제에게 올린 디
저트라고 한다. 아이스크림 역할은 으깬 삶은 감자가 하고 그 위
에는 단팥을 끓여서 얹었다. 감자라는 뜻의 투또우(土豆)라는 단
어가 있는 이유가 있었다. 맛은 딱 삶은 감자와 단팥의 맛이었다.
달지는 않았다. 디저트라기에는 양이 많아서 반도 먹지 못했다.
한 번은 먹어볼 만한데, 두 번 먹으라고 하면 다른 후식을 선택하
겠다.

예전에 역시 청나라 황실 전통을 계승했다고 하는 요리사의 인
터뷰를 읽은 적이 있다. 요리 종류는 수천 가지이고, 식재료 종류
는 1만 가지를 넘는다고 했다. 만주 지역에서는 매년 황실에 노
루 혀와 꼬리를 각 2,000개씩 진상했고 곰이나 호랑이도 사냥해
요리의 재료로 썼다고 한다. 무소불위의 권력을 휘둘렀던 서태후
는 한 끼에 평범한 농민이 1년을 먹을 비용을 썼다고 하니, 청나
라가 무너진 이유 중의 하나로 음식에 대한 사치를 꼽는 사람들
이 있을 정도다. 그렇게 나라와 황실은 가고, 그 흔적만 드문드문

식닝투또우니

남아있다. 왁자지껄하게 한 상 가득 즐기는 손님들에게 청나라
와 만주족에 대한 향수가 있을 것 같지는 않았다. 그저 그 시절을
떠오르게 하는 종업원들의 복장과 실내 인테리어 정도가 '이 집
은 밀이지'로 시작되는 식탁 위 이야깃거리를 채우지 않을까 생
각했다. 오히려 뜨내기 이방인이 물어물어 찾아와 접시에 뚜렷한
나쟈(那家)라는 글자를 보고 그 많던 만주족은 모두 어디로 갔을
까를 생각하는 것이 새삼 아이러니했다.

RESTAURANT TIP 那家小馆 nàjiāxiǎoguǎn

🕐 **가는길**

나자샤오관은 유명한 식당이다. 북경 시내에 분점도 여러 군데 있다. 한국인들은 시내 중심부에 위치한 LG 트윈타워 뒤편에 있는 곳을 많이 가는데, 집에서 가까운 푸싱먼(复兴门) 지점을 찾아 갔다. 지도를 검색해 가까운 곳을 가면 된다. PARKSON 백화점 10층이다.

📍 **주소**

北京市 西城区 复兴门百盛购物中心 北楼 10층

📞 **전화번호**

010-66535665

💰 **예산**

장점은 가성비다. 요리의 가격대가 고급진 외관에 비하면 싼 편이다. 두 명이 200위안(34,000원)을 생각하면 요리 3개에 주식을 곁들여 먹을 수 있다. 물론 비싼 요리도 있다. 요리사가 식탁 옆에 와서 서빙을 해주기도 한다. 와인은 100위안(17,000원)을 넘는다고 생각하면 된다. 늘 그렇듯 예산에서 술은 예외다.

日坛涮肉
rìtánshuànròu

초원을 내달리던 유목민이 즐기던
양고기의 맛

양 샤 부 샤 부

르탄슈완로우

日坛涮肉
ritánshuànròu

≥ 광활한 초원, 전쟁, 그리고 슈완양로우 ≤

슈완(涮)이라는 한자를 보고 입맛을 다시면 중국을 좀 아는 사람
이다. 슈완(涮)은 물을 붓고 흔들어 씻는다는 뜻인데, 슈완로우
(涮肉)는 얇게 썬 고기를 끓는 물에 살짝 데쳐서 양념장에 찍어
먹는 것을 말한다. 샤부샤부, 훠궈의 그것과 같지만 또 다르다.
훠궈는 벌건 국물이 떠오르고 샤부샤부는 일본풍 냄비 요리라는
인상이 강하지만 슈완로우(涮肉)는 주로 양고기를 맑은 국물에
데쳐 먹는다. 양을 가운데 넣어 슈완양로우(涮羊肉)라고도 한다.
양고기를 주로 먹는 북방의 요리라고 생각하면 틀리지 않는다.
하지만 슈완로우라는 말이 입에 잘 붙지 않으니 일단 샤부샤부로
분류한다.

북방 민족들은 광활한 초원을 말과 함께 달렸다. 전쟁을 하면서는
말 위에서 먹고, 말 위에서 잤다. 자연스레 초원에 지천으로 흔한

양을 많이 먹었다. 병사들이 투구에 물을 끓여 양고기를 조리해 먹었다는 얘기를 들은 것이 기억난다. 몽골의 쿠빌라이 칸이 전투 도중에 양고기를 원했는데, 주방장이 시간이 없음을 고려해 얇게 썬 양고기를 데쳐 먹는 방법을 고안해 냈다고 한다. 또 다른 기원으로는 청나라 초기 강희제와 건륭제 당시의 음식이라고도 한다. 여하튼 모두 북방 민족에 그 기원을 두고 있는 것은 확실하다. 궁중요리라는 설명도 나오는데, 그들이 장성을 넘어 중원을 차지하면서 슈완양로우(涮羊肉)도 덩달아 지위가 높아진 이유 때문일 것이다.

그 궁중 요리의 비법을 몰래 빼내 민간에 팔기 시작했다는 음식점이 한국 관광객들에게도 유명한 똥라이순(东来顺)이다. 별다른 양념이 보이지 않는 맑은 국물에 데쳐 먹기 때문에 고기의 질이 중요한데, 똥라이순의 양고기는 선홍색이 뚜렷한 신선도로 유명하다. 내몽골에서 직접 양고기를 받아 온다고 알려져 있다. 그 담백한 맛이 중국인의 입맛을 홀렸는지 지금 북경에는 슈완로우(涮肉)나는 슈완양로우(涮羊肉)라는 간판을 내건 식당이 흔하다.

≳ 중국식 신선로의 매력 ≲

처음 중국을 드나들 때인 십여 년 전에 북경에서 양고기를 처음 접했었다. 조심스러웠던 젓가락질이 기억난다. 사실 한국 사람들은 양고기에 익숙하지 않았다는 것이 정설이다. 양은 초원의

동물이라 우리 땅에는 많지 않았고, 양 특유의 누린내에 질색하는 한국인이 아직도 많다. 하지만 최근 들어 한국에서도 양고기를 찾는 손님들과 식당이 제법 눈에 띄기 시작했다. 아마 한중 수교 이후 중국과 관계 맺는 사람들이 폭발적으로 늘어나면서 생긴 현상이지 싶다.

르탄슈완로우(日坛涮肉)는 초원을 달리던 유목민이 즐기던 양고기 맛을 제대로 느낄 수 있는 집 중의 하나다. 르탄꽁위엔(日坛公园, 르탄 공원) 옆에 있다. 르탄 공원은 명나라와 청나라 때 황실이 태양신에게 제사를 지내던 곳이다. 지금은 주변에 외국 대사관이 모여 있고, 북경의 중심 상업 지구 옆이라 외국인들이 많아 이국적인 느낌이 있다. KBS 북경 지국과 KBS 차이나도 멀지 않은 곳에 있어서 선배들과 함께 찾았다. 자리에 앉자마자 눈에 띄는 것은 탕을 끓일 화려한 모양의 그릇이었다. 우리 신선로와 비슷한 이 냄비 같은 그릇은 돋보이는 푸른색을 두른 화려한 채색이 마치 도자기를 보는 듯했다. 중국통인 선배가 징타이란(景泰藍, 경태람)이라고 일러준다. 구리로 만든 표면에 각양각색의 무늬를 새기고 화려한 색깔의 유약을 발라 불에 구워낸 공예품이다. 주로 파란 유약을 칠했기 때문에 푸르다는 뜻의 란(藍)을 사용했다. 식탁에 놓인 그릇들은 박물관에 온 느낌을 들게 했다. 처음 보는 이방인이 연신 뜯어보게 만드는 매력이 있었다. 보기에도 좋은 그릇이 한 사람 앞에 하나씩 있어 위생적이라는 후기들도 많다.

그릇 속 알코올램프에 불을 붙이면 물이 끓는다. 신선로와도 비슷한데 이런 식의 그릇은 일본에도 있다. 조선 시대에 청나라로 드나들던 사절단이 배워 와서 서울에서 재현했다는 기록이 있는 것을 보니 원조는 이들인 듯하다. 상 위에서 직접 끓이니 추운 겨울날 어울리는 음식이다. 독한 술 몇 잔을 곁들이면 겨울밤이 두렵지 않았을 것이다. 실제 식당에는 북경 남자들이 도수가 높은 이과두주 같은 술을 연신 들이켜는 모습이 많았다.

〉 고기와 국물, 그리고 소스의 삼박자 〈

메뉴판을 가득 채운 많은 종류의 요리가 있지만, 평양냉면 집에 와서 베트남 쌀국수를 먹을 수는 없는 노릇이다. 고기에 집

1. 징타이란(景泰蓝. 경태람) 속에 알코올램프가 있고 불을 붙여 탕을 끓인다.
2. 메뉴판에는 몇 장에 걸쳐 고기 종류가 가득하다.
3. 양고기는 돌돌 말아 쟁반 가득 나온다.

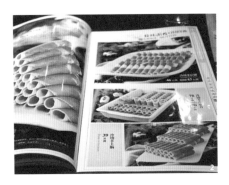

중하는 것이 현명하다. 메뉴판에도 고기가 종류별로 몇 장에 걸쳐 있었다. 내장도 종류별로 세분되어 있었다. 양고기도 있고 소고기도 있다. 회족이 하는 식당이라 돼지고기는 없었다. 양고기와 소고기를 넉넉하게 주문했다. 탕에 넣어 먹을 채소도 함께 시켰다. 얇게 썰어 산처럼 쌓인 고기와 표고버섯, 배추, 쑥갓, 청경채의 조합은 보기만 해도 먹음직했다. 동행한 선배는 내장이 맛있다며 종류별로 주문했다. 펄펄 끓는 맑은 국물에 소고기는 살짝, 양고기는 그것보다는 좀 더 오래 데쳐서 장에 찍어 먹었다. 소스는 고소한 땅콩과 깨를 갈아 걸쭉하게 만든 마장(麻醬, 마장)을 기본으로 부추와 고추기름 등 서너 개를 내어주는데, 기호에 맞게 섞어서 먹으면 된다. 모든 기본이 튼튼해야 한다. 한국 밥집의 품격은 그 집 김치 맛에 있다고 생각하는데, 중국에 대입하면 이 소스의 맛이 식당의 수준을 가늠할 수 있는 척도가 된다. 맛을 구별할 정도의 전문가는 아니었지만 소스를 따로 차려 내오는 모양새기 웬지 믿을 만했다. 습관적으로 고기를 건져 소스 그릇에 담궈 찍어 먹는 것을 보더니 선배가 타박한다. 그렇게 먹으면 먹을수록 고기에 묻어 나온 국물 때문에 소스가 묽어진다는 말이었다. 고기를 건져 앞 접시에 놓고 소스를 따로 떠서 묻혀 먹으면 소스의 원래 맛을 계속 유지할 수 있다는 말이었다. 듣고 보니 맞는 말이다. 경험이고 디테일이다.

　소고기는 모둠을 주문하면 부위별로 나온다. 내장도 마찬가지다. 양고기는 대패로 썬 목재처럼 얇은 것을 돌돌 말아 쟁반 가

1. 소스
2. 연근에 찹쌀이 들어간 요리
3. 기본으로 제공되는 밑반찬

주문한 고기와 함께 탕에 넣을 채소와 밑반찬이 넉넉히 나온다.

득 담았다. 양고기가 정력에 좋다는 속설을 남자들이면 한 번쯤
은 들어봤을 것이다. 정력에 좋은 음식의 기준은 없지만 양고기
는 칼로리와 지방이 직고 콜레스테롤이 낮아 다이어트에 좋으며
칼슘, 아연 등 무기질이 풍부해 기운을 돋워 준다는 언급을 여러
곳에서 찾을 수 있다. 물론 이런 내용엔 좋은 말만 써 놓았을 테
니 아마 정력에 안 좋은 고기가 없을 테다. 다만 양을 특별히 그
렇게 여기는 이유는 초원을 달리던 거친 사내들에 대한 로망에
상당 부분 기대고 있지 않을까 생각해본다. 다른 요리 메뉴도 제
법 있고 데쳐 먹는 재료로 해산물도 풍부했지만, 양고기에 소고
기, 각종 야채며 버섯을 정신없이 먹다 보니 어느덧 배가 부풀어

올랐다. 맥주도 곁들였는데 세상 부러운 것이 없었다.

　요즘이야 뜨거운 여름에도 에어컨 틀어놓고 땀 닦아가며 먹는 샤부샤부, 훠궈가 1년 4계절 음식이지만, 그래도 북풍한설이 커다란 울음소리를 내며 몰아치는 겨울에 먹어야 제맛이다. 뜨근하게 끓어오르는 탕을 앞에 두고 가족 또는 친구들이 모여 앉아 먹는 장면은 상상만 해도 흐뭇하다. 북경은 겨울이 길고 험하다. 일찍 발을 동동 구르게 되고 늦게까지 온몸을 싸매게 된다. 그나마 이 긴 겨울을 이겨낼 수 있는 몇 가지 방법이 있어서 다행이다. 슈완양로우(涮羊肉)가 그 버팀목 중의 하나다.

日坛涮肉 rìtánshuànròu

⊙ 가는길

해가지면 르탄슈완로우(日坛涮肉)라는 커다란 간판이 형형색색 반짝이기 때문에 쉽게 찾을 수 있다. 르탄 공원(日坛公园) 동쪽인데, 인도대사관 맞은편이다. 지하철 1호선 용안리(永安里) 역에서 내려 걸어도 된다. 넘치는 손님에 비해 종업원 수가 적어 답답할 수도 있다. 지금은 어떤지 모르지만, 지하 1층의 홀에는 종업원이 한 명뿐이었다는 후기도 눈에 띈다. 저녁 6시면 이미 만석이다. 예약이 답이다. 방이 여러 개 잘 갖춰서 있어서 근처 직장인들이 모임을 하기에 좋은 식당이었다.

⊙ 주소

北京市 朝阳区 日坛东路9号

☎ 전화번호

010–85625558

⊙ 예산

고급스러운 인테리어, 특히 예술품을 보는 듯한 징타이란(景泰蓝)에 내심 비싼 집이 아닐까 생각했는데, 의외로 저렴한 가격이 이 집의 매력이다. 따종디엔핑(大众点评, 식당/음식 평가 앱)에 들어가면 중국 네티즌들의 후기가 많은데, 1인당 평균이 대략 100위안(17,000원)에서 150위안(25,500원)으로 되어 있다. 물론 술은 제외다. 입이 떡 벌어질만한 비싼 술도 메뉴판에 있다. 징타이란(景泰蓝)이 너무 예뻐서 집에 하나 사놓고 끓여 먹으면 어떨까라는 생각을 했다. 말을 꺼내자 이미 동행했던 선배가 알아봤단다. 사람 생각은 똑같다. 그러나 1,000위안(170,000원) 안팎의 높은 가격 때문에 망설인다고 했다.

正院大宅门
zhèngyuàndàzháimén

북경 토박이라는 자부심이 돋보이는
수도의 맛

저택 마찬
쩡위엔 따자이 먼

正院大宅门
zhèngyuàndàzháimén

≷ 역사를 이어온 천하의 수도 ≷

북경의 이름은 여럿이다. 수천 년 전 연(燕) 나라를 시작으로 금,
원, 명, 청 왕조가 차례로 수도를 북경에 뒀다. 왕조가 바뀔 때
마다 북경도 이름을 달리했다. 연나라는 옌징(燕京, 연경), 금나라
는 중도(中都), 원나라는 대도(大都), 명을 세운 주원장은 북평(北
平)이라고 불렀다. 지금 북경의 맥주를 옌징 맥주라고 부르는 것
에 그 흔적이 남아있다. 기숙사가 찌먼치아오(薊门桥)라는 다리
근처에 있었는데, 찌(薊)도 북경의 옛 이름에서 유래했다. 북경은
명나라 영락제가 수도로 정하면서 지금의 이름을 찾았다. 그리
고 명, 청의 두 왕조와 격동의 근대사를 견디면서 천하의 수도가
됐다. 스스로를 대륙의 중심이라고 생각하는 북경 사람들의 자부
심은 대단하다. 상하이 사람들이 북경인들은 자기들만 잘난 줄
안다며 고깝게 여긴다는 얘기를 들은 적이 있는데 여타 지방 사

위풍당당했던 고관대작의 옛 영화를 떠오르게
하는 식당 이름만큼이나 인테리어나 소품 역시
고풍스럽다.

람들이 그 자존감을 비아냥댈 정도다.

그래서인가 이들은 라오베이징런(老北京人)임을 스스로 자랑스럽게 여긴다. 베이징 토박이라는 뜻인데 식당 이름에도 라오베이징(老北京)이 많이 쓰인다. 조금만 오래되었거나 뭔가 전통과 특색 있는 요리를 내세우고 싶다면 어김없이 '라오베이징'이다. 쩡위엔따자이먼(正院大宅门) 역시 그런 자부심을 가지고 있는 식당이다. 징차이(京菜)라고 하는 북경 요리가 전문이다. 사실, 북경 요리를 중국 4대 요리로 꼽기도 하는데 흔히 북경, 상해, 쓰촨, 광동 요리가 그것이다. 그럴듯하지만 먹다 보면 4대 요리, 10대 요리하며 나누고 서열을 매기는 것이 절대적인 것은 아니다. 4대, 10대 요리가 다른 지방의 요리보다 우월하다는 뜻도 아니란 얘기다. 모든 지방의 요리가 특색 있을 것이다. 각자의 사정에 맞게 귀하지 않은 음식이 없고, 입맛에 맞지 않는 음식이 없을 테다. 대륙의 모든 문물의 집결지, 북경 요리 역시 그 만의 특색이 있다. 그 특징으로 다양한 북방 민족의 음식 문화가 합쳐진 것을 들기도 하고, 명, 청 황실의 전통이 묻어나는 궁중 요리를 꼽기도 한다. 쌀보다는 밀가루를 많이 쓰고, 추운 겨울이 길어 튀기고 짠 음식이 많다는 것도 북경 요리의 특징을 말할 때 빠지지 않는다.

⋛ 전국의 요리를 한 곳에서 ⋛

쩡위엔따자이먼(正院大宅门)을 찾았다. 쩡위엔은 우리와 사용
하는 뜻이 같은 말이다. 정원, 집안의 뜰이다. 따자이먼(大宅门)
은 대저택의 문이란 뜻이다. 따자이먼(大宅门)이라는 식당도 따
로 여럿 있다. 위풍당당하던 고관대작의 옛 영화를 떠오르게 하
는 식당 이름이 왠지 북경스럽다. 집밥이라고 하기에는 호화스러
운 면이 있어 저택 요리라는 이름을 붙여본다. 이름에 걸맞게 식
당 내부도 널찍하다. 인테리어 소품 역시 고풍스럽다. 2층으로
된 식당에서는 공연도 볼 수 있다. 〈패왕별희〉에서 장국영이 경
극을 공연하던 공연장과 비슷하다. 내부가 워낙 화려하다 보니,
중국인들은 쩡위엔따자이먼을 대관해 결혼식 피로연을 하기도
한다. 메뉴판에는 북경 요리의 대표 주자인 오리구이와 자쟝미
엔이 먼저 눈에 띄었다. 오리구이는 북경 어느 식당에 가도 빠지
지 않을 만큼 오늘날 북경을 대표하는 요리다. 자쟝미엔 역시 자
금성이나 쳰먼 같은 시내 유명 관광지에 가면 골목 하나를 가득
메우고 있을 만큼 북경의 명물이다. 하지만 오리구이와 자쟝미
엔은 따로 전문점이 많은 식당이라 미루고 다른 음식을 맛보기로
했다. 메뉴판에 곳곳에 라오베이징(老北京)이란 단어가 많았다.
라오(老)만 별도로 쓰인 메뉴들도 많은데 이것은 '우리 집은 전통
있는 집이오'라고 티를 내는 방법이다.

해산물과 고기 요리가 유명한 집이라고 동행한 중국 친구가 일

러준다. 특히 해산물 요리는 비싼 것도 많다. 찬찬히 보니 북쪽 지방의 유명한 호수인 차간호에서 잡은 물고기로 요리한 것도 있었다. 하지만 생선 한 마리에 몇백 위안을 지불하고 먹기에는 주머니가 너무 가벼웠다. 종업원의 추천을 받아 고기, 해산물, 채소, 주식을 하나씩 주문했다.

스쿠먼라오지우샤오로우(石庫门老酒烧肉)는 돼지고기 요리다. 샤오(烧)는 불태우다, 끓이다, 굽는다는 뜻이다. 요리에 쓰면 살짝 볶은 후에 국물이나 양념을 넣고 다시 볶거나 졸인다는 뜻이다. 우리나라 중국집에도 많이 있는 홍샤오로우(红烧肉, 홍소육)를 생각하면 된다. 돼지고기 삼겹살을 큼직하게 썰어 찐 다음 간장에 조려 맛을 낸 요리다. 뚝배기 비슷한 그릇에 담아 내온다. 간장의 달착지근하고 짠맛이 깊게 배어있는 삼겹살 덩어리가 입에 넣자마자 부서져 내린다. 오래 쪄냈나 보다. 여러 개 먹기에는 돼지비계의 느끼함이 약간 남아 있지만 밥과 곁들이면 다른 요리가 필요 없을 정도다. 〈허삼관 매혈기〉라는 소설에 보면 가난한 허삼관이 아이들에게 홍소육 이야기를 하며 허기를 달래는 장면이 있다. '고기가 익으면 꺼내서 식힌 다음 기름에 한 번 볶아서 간장을 넣고, 오향을 뿌리고, 황주를 살짝 넣고, 다시 물을 넣은 다음 약한 불로 천천히 곤다 이거야. 두 시간 정도 고아서 물이 거의 졸았을 때쯤. 자 홍소육이 다 됐습니다.' 그렇게라도 아이들의 주린 배를 달래야 하는 허삼관의 부정이 딸 둘을 둔 아빠로서 남다르다. 라오지우(老酒)라는 단어가 들어가 있는 것을 보니

양념에 술을 넣는 것이 이 집만의 비법인 듯하다. 사실 홍샤오로
우는 후난 음식으로 알려져 있다. 후난성 출신인 마오쩌둥이 즐
겨 먹은 것으로 유명하다. '3일에 한 번 홍샤오로우를 먹고 힘을
내면 혁명을 할 수 있다'는 말을 했다고 전해진다. 맛과는 별개로
북경 요리를 먹으러 왔는데 웬 후난 요리냐고 한마디 했더니, 전
국의 모든 요리를 먹을 수 있는 것이 북경 식당의 특징이란다. 틀
린 말은 아니다.

라오디엔싀카오시아(老店石烤虾)는 지글지글 끓는 넓적한 그릇
에 나온 새우구이였다. 양념을 발라 구웠다. 싀카오(石烤)는 돌에
구웠다는 방법을 말하는 단어고, 라오디엔(老店)은 오래된 식당
이라는 뜻이다. 새우구이를 먹을 때마다 머리를 먹어야 하는지,
껍질은 벗기고 먹어야 하는지가 궁금한데, 아직 답은 못 찾았다.
머리까지 꼭꼭 씹어 먹는 동행에게 물어보니 귀찮아서 그렇게 먹
는단다. 껍질에 양념이 배어있고 바삭해서 먹을 만 했지만, 벗겨
먹든 모두 먹든 언제나 새우구이는 맛에서 배반한 적이 없다. 라
오디엔싀카오시아도 마찬가지, 불러오는 배가 원망스러웠다.

뽀어자이삐엔또우쓰(钵仔扁豆丝)는 콩줄기를 볶은 요리다. 자
이(仔)는 어리다는 뜻이다. 그래서인가 콩줄기 씹는 맛이 부드러
웠다. 연한 콩줄기를 양념에 볶았는데, 곁들여 먹기에 나쁘지 않
았다. 징똥로우삥(京东肉饼)의 삥(饼)은 넓적하게 밀가루를 부친
다음 속을 넣고 굽거나 지지거나 쪄서 만든다는 의미다. 우리의
전병을 떠올리면 비슷하다. 로우삥(肉饼)이니 속을 주로 고기로

1. 쓰쿠먼라오지우사오로우
2. 라오디엔싀카오시아

1. 뽀어자이|삐엔또우쓰
2. 징똥로우삥

채웠다. 이름에 북경을 뜻하는 징(京)도 빼먹지 않았다. 북경 주변의 드넓은 화북 평야에서는 밀이 많이 난다. 이 밀가루를 바탕으로 한 국수, 만두 등의 음식이 북경 요리의 상당 부분을 차지하는데, 뜨끈하게 지져낸 로우삥(肉饼)을 한입 베어 무는 것도 권할만하다. 겉은 바삭하고 속을 꽉 채운 고기가 씹히는 질감은 그 자체로 한 끼가 된다.

이 식당은 주로 공무원을 접대할 때 오는 식당이었다고 동행이 말한다. 시진핑의 반부패 정책 이후로 다들 몸을 사리느라 이런 집들의 장사가 예전 같지는 않다는 말이었다. 그러고 보니 북경 요리의 특징 중의 하나로 관푸차이(官府菜)를 꼽기도 한다. 관리들의 요리라는 뜻이다. 정치의 도시답게 관리들이 먹는, 그들을 위한 요리가 발달했다는 말이다. 이 식당의 음식이 관푸차이의 전통 위에 있는지는 알 수 없지만, 공무원들이 주로 와서 먹고 마시던 모습을 상상하면 묘하게 겹치는 부분이 있다. 물론 그 먹고 마시는 값을 충당하는 사람은 결국 꼬박꼬박 세금 내는 시민들이겠지만 말이다.

📍 **가는길**

식당 명함에는 북경에 8개의 분점이 있다고 각 주소를 모두 기재
해 놨다. 야윈춘총디엔(亚运村总店)으로 갔는데, 총디엔(总店)은
본점이라는 뜻이다. 지하철 5호선 후이신시지에난코우(惠新西街
南口) 역에서 걸어서 10여 분 거리다. 주택가를 지나면 커다란 건
물이 눈에 확 띄어 찾기가 어렵지 않다.

📍 **주소**

北京市 朝阳区 惠新北里 3号楼

📞 **전화번호**

010-64952166

🍗 **예산**

새우구이 라오디엔식카오시아는 116위안(19,720원), 홍샤오로우는
98위안(16,660원)이다. 고기 요리는 대체로 100위안(17,000원) 남
짓인데, 물고기 요리는 비싼 것도 많이 있다. 징똥로우삥은 39위안
(6,630원)인데, 주식류는 대체로 이 가격이다. 둘이 가면 1인당 150
위안(25,500원) 정도 잡아야 요리 두어 개 포함해 넉넉하게 먹을
수 있다.

玉林串串香
yùlínchuànchuànxiāng

한국의 매운맛보다 매운
중국 매운맛의 진수

위린촨촨샹

玉林串串香
yùlínchuànchuànxiāng

≳ 이열치열, 무더운 여름의 매운맛 ≲

매운맛을 보여주마. 매운 것 좋아하기로 소문난 것은 한국인만이
아니다. 중국인들도 매운맛을 좋아한다. 아마 유학생이나 중국
에서 파견 근무를 했던 사람이라면 아련히 생각나는 중국 특유의
매운맛이 있을 것이다. 요즘은 한국에서도 어렵지 않게 맛볼 수
있다. 주로 중국 동포들이 모여 사는 구로, 대림에서나 맛볼 수
있던 것이 이제는 서울 전역에 흔해졌다. 마라탕, 훠궈, 마라샹
궈 등등의 이름이 그것이다. 중국에서도 유명한 훠궈(火锅) 식당
인 하이디라오는 명동과 강남 한복판에 고급스러운 인테리어로
사람들을 모으고 있다. **위린촨촨샹**(玉林串串香)의 첫 느낌은 하이
디라오나 여타 다른 훠궈 식당과 비슷하다. 커다란 솥을 반으로
나눠 맑은 국물과 뻘건 국물을 펄펄 끓인 뒤, 채소, 고기, 생선 등
을 살짝 데쳐서 소스에 찍어 먹는다. 맑은 국물은 칭탕(请汤)이라

고 하고, 보기만 해도 뻘건 매운 국물은 라탕(辣汤) 또는 홍탕(红汤)이라고 한다. 맑을 청(清)과 매울 랄(辣)만 알면 쉽게 해석할 수 있다. 특히 중국 식당에 가면 라(辣)라는 글자를 많이 볼 수 있는데 주문할 때는 각오를 해야 한다.

위린찬찬샹도 북경 곳곳에 꽤 여러 개가 있다. 바이두 맵에는 47곳의 지점이 검색된다. 위린(玉林)은 매운맛의 본고장인 쓰촨성의 지명이다. 쓰촨(四川)은 삼국지의 유비가 촉나라를 세웠던 그 사천성이다. 보통 쓰촨 요리를 촨차이(川菜)라고 하는데, 마라탕, 마라샹궈의 마라(麻辣)하면 쓰촨성이 원조다. 마(麻)는 혀가 얼얼하다는 뜻이고, 라(辣)는 앞서 보았듯 맵다는 뜻이다. 특히 마(麻)는 혀를 마비시키는 매운맛을 내는 향신료인 화지아오(花椒)의 맛을 말한다. 촨(串)은 꼬치를 뜻하는 한자다. 무더운 여름 해가 지면 길거리에서 숯불을 피워가며 양꼬치를 굽는 노점에 어김없이 붙어있는 글자다. 그곳에는 항상 사람들로 장사진이다. 무더웠던 여름날 위린촨촨샹을 찾았다. 함께 간 중국인 친구가 슈시(熟悉)라는 말을 썼다. 충분히 알다, 익숙하다는 뜻인데, 중국에 어느 정도 적응한 사람들이 올 수 있는 식당이라는 뉘앙스였다. 실제 우리를 제외하고는 외국인을 찾아볼 수 없었다. 인테리어가 고급스러운 것도 아니고, 종업원들이나 손님들의 태도가 딱 동네 식당이다. 그래서 훠궈의 매운맛을 제대로 볼 수 있는지도 모르겠다.

⸗ 중국의 매운맛, 라(辣)와의 전쟁 ⸗

탕은 세 가지 중에 고를 수 있었다. 싼시엔위엔양궈(三鮮鴛鴦锅)는 세 가지 좋은 재료를 쓴 탕이란 뜻이다. 위엔양(鴛鴦)은 원앙새다. 커다란 솥을 태극무늬 모양으로 반을 나눠 맑은탕과 매운탕을 반씩 담아내는데, 그 반으로 나눈 모양을 원앙새라고 한 모양이다. 쥔탕위엔양궈(菌汤鴛鴦锅)는 버섯 육수탕이다. 쥔(菌)이란 글자는 세균이 연상되어 의아해했는데, 버섯이라는 뜻도 있다. 취엔홍궈(全红锅)는 글자 그대로 전부 다 매운탕이다. 매운맛을 고를 수가 있다. 웨이라(微辣:덜 매운맛)-쫑라(中辣:중간 매운맛)-트어라(特辣:아주 매운맛)의 순서로 분류되어 있다.

1. 원앙이라는 이름을 가진 냄비에 맑은탕과 매운탕이 나온다.
2. 냉장고에 가득 찬 꼬치를 골라먹는 재미가 있다

싼시엔위엔양궈를 주문하고 중간 매운맛을 선택했다. 바로 반으로 나뉜 솥이 나왔다. 맑은 국물과 벌건 국물이 바로 끓어오른다. 이 집의 특징은 데쳐 먹을거리를 직접 고른다는 점이다. 식당 한편에 커다란 냉장고가 있는데, 그 안은 각종 꼬치로 가득했다. 채소와 고기류, 어묵, 생선, 새우 다진 살까지 어림잡아 백 개는 넘어 보이는 먹음직스러운 재료들이 각각 길고 가느다란 나무 꼬치에 꿰어져 있다. 그중 먹고 싶은 것을 골라 쟁반에 담아오면 된다. 계산은 나중에 그 꼬치의 개수를 세어서 한다. 손에 잡히는 대로 듬뿍 골라 채소는 맑은 탕에 고기와 어묵은 매운탕에 투척했다. 끓기를 기다리며 소스를 만들러 갔다. 여느 훠궈 식당처럼 이곳도 소스를 직접 만들 수 있다. 스무 개쯤 되는 소스들이 있는데, 본인 취향에 맞게 골라서 섞으면 된다. 탕이 끓기 시작하자 중국의 매운맛, 라(辣)와의 전쟁이 시작됐다. 먹을 때마다 이걸 왜 먹지라고 후회하면서도 끊을 수 없는 중독. 중국의 매운맛이다. 뻘겋게 물이 오른 고기를 건져 마장 소스에 찍어 먹고 바로 맑은 탕에 담가 났던 채소를 집어삼키기를 반복했다. 한국의 매운맛은 속에서 열이 타오르는 느낌이라면 중국의 매운맛은 혀가 마비되는 얼얼한 느낌이다. 꼬치 몇 개에 몸속에서는 불이, 몸 밖으로는 땀이 치솟기 시작했다. 왜 먹기 시작했지라는 후회와 멍하니 집어먹는 중독을 몇 번 오간 다음에야 정신을 차리고 미즈쏸메이탕(秘制酸梅汤)을 시켜 벌컥벌컥 들이켰다. 쏸메이탕(酸梅汤)은 매실 음료인데 앞에 비법이라는 뜻의 미즈(秘制)를 덧붙였다. 보통 무료로 주는 식당도 있

1. 꼬치는 고르면 식탁 옆에 놔두고 탕에 넣어가며 먹는다.
2. 소스는 직접 골라서 만들어 먹는다. 계산은 나중에 꼬치의 개수를 세어 한다.

미즈쏸메이탕

는데, 이 식당은 무슨 비법인지는 모르겠지만 1병에 38위안이나 받았으니 비싼 편이다. 하지만 시원하고 달콤한 쏸메이탕은 마라로 불이 난 속을 끄는 데 딱이었다. 종업원이 샹농위미즈(香浓玉米汁)라는 옥수수 음료도 많이 팔린다고 추천해줬는데, 먹어보지는 않았다.

중국어를 처음 배울 때 교재의 주제로 중국 사람들이 좋아하는 맛에 대한 부분이 있었다. 어렵지 않으니 옮겨 본다. '베이팡런아이츠시엔더(北方人爱吃咸的), 난팡런아이츠티엔더(南方人爱吃甜的), 샨똥런아이츠라더(山东人爱吃辣的), 샨시런아이츠쏸더(山西人爱吃酸的)'라는 구절이 었는데, 북방 사람은 짠맛을 좋아하고, 남방 사람은 단맛을, 산동 사람은 매운맛을, 산서 사람은 신맛을 좋아한다는 뜻이다. 그리고 물론 쓰촨 사람도 매운맛을 좋아하는데, '쓰촨더라식라지아오더라(四川的辣是辣椒的辣), 샨동더라식따총더라(山东的辣是大葱的辣)'라고 했다. 쓰촨의 매운맛은 향신료의 매운맛이고, 산동의 매운맛은 대파의 매운맛이라는 뜻이다. 진정 혀가 얼얼해지고 간혹 고통스

싼시엔위엔양궈

럽기까지 한 매운맛을 보고 싶다면 쓰촨에 한 표를 던지겠다. 매실 음료인 쏸메이탕과 맑은 국물에 데친 채소를 계속 집어 먹었더니 금방 배기 부풀어 올랐다. 배를 두드리며 이 매운맛이 가끔 그리워지면 중국에 적응한 것이 되겠구나라는 생각을 잠깐 했다.

玉林串串香 yùlínchuànchuànxiāng

⊙ 가는길

똥즈먼(东直门)은 서울의 동대문 같은 느낌이다. 반대편에 시즈먼 (西直门)이 있고 둘 다 지하철은 물론 기차역과 공항철도가 교차 하는 교통의 중심지라 사람들로 항상 북적인다. 똥즈먼에서 서쪽 으로 걸어가다 보면 빨간 등이 거리를 뒤덮고 있는 유명한 귀신거 리가 나오는데, 그 귀신거리 가기 조금 전에 있다. 체인점이기 때 문에 역시 바이두 맵을 검색해서 가까운 곳을 찾아가는 것이 좋은 방법이다. 동네 골목골목에 있다. 6시가 안 되었는데도 사람들로 꽉 찼다. 예약도 가능하다.

♀ 주소

北京市 东城区 东直门内大街5~9号

☎ 전화번호

13167508664

ⓦ 예산

중국인들에게 골라 먹는 재미로 유명해진 식당이다. 실제 거대한 냉장고 몇 개를 가득 채운 꼬치가 주는 비주얼은 압도적이다. 꼬 치마다 가격이 다르다. 큰 꼬치는 3위안(510원), 중간 크기의 꼬치 는 2위안(340원), 작은 꼬치는 1위안이 채 되지 않는 8마오(140원)다. 2명이서 40개를 먹어봐야 80위안(13,600원) 안팎이니 저렴한 가격 에 배부르게 먹을 수 있다. 원앙 모양의 냄비에 가득 채운 탕도 40 위안(6,800원)이 안 된다. 맥주 몇 병을 곁들여도 1인당 100위안 (17,000원) 미만을 생각하면 될 듯하다. 현지인들에게도 가성비 좋 은 식당으로 유명하다. 단, 중국술인 바이지우(白酒)처럼 비싼 술도 있다. 종업원이 권하는 대로 시키다 보면 당연, 예산 초과다.

胶东海鲜
jiāodōnghǎixiān

내륙 도시 북경에서 맛보는
황해 바다의 내음

해산물 요리

찌아오똥하이시엔

胶东海鲜
jiāodōnghǎixiān

⟩ 횟집이 드문 내륙 도시 북경 ⟨

바다가 먼 것은 아니지만 북경은 내륙 도시다. 북경 남역에서 고
속철도로 30분이면 톈진(天津, 천진)이다. 톈진은 바닷가에 접한,
우리로 치면 인천쯤 되는 도시다. 그럼에도 북경은 내륙의 느낌
이 강하다. 우리의 한강과 같은 넓게 굽이쳐 흐르는 큰 강도 없
고, 건조하다 못해 푸석푸석하기까지 한 날씨 탓에 그렇게 느껴
지는지도 모르겠다. 자동차로 4시간만 달리면 내몽골의 사막이
니 더욱 그렇다. 실제로 체류하던 기간의 봄에는 비 한 방울 오지
않았다. 3월부터 꼬박 석 달간 그랬다. '그댄 봄비를 무척 좋아하
나요?'라는 노랫말이 있을 수 없는 도시다. 그래서인가, 북경과
신선한 해산물은 좀처럼 어울리지 않는다. 횟집은 더더욱 언감생
심이다. 쇼우쓰(寿司, 일본식 초밥, 스시)라고 쓰인 등을 단 일본 식
당에나 가야 날생선을 볼 수 있다. 생선요리는 있긴 하다. 하지

만 카오위(烤鱼, 생선구이)라는 간판을 단 식당들은 대부분 양념을 듬뿍 얹은 생선을 굽거나 쪄서 내온다. 그리고 카오로우(烤肉, 고기구이)란 이름의 고기 요리와 함께 파는 경우가 많다. 카오(烤)가 불에 쬐어 말리거나 굽는다는 뜻이니, 우리 머릿속에 익숙한 횟집이나 조개구이집과는 약간 거리가 있다.

찌아오뚱하이시엔(胶东海鲜)은 그런 북경 식당의 고정관념을 깨주는 식당이다. 식당 안에 들어서자마자 눈에 띄는 것은 커다란 수조에 가득 담긴 조개들이다. 종류별로 칸칸이 가득 들어찬 조개 옆으로 노량진 수산 시장처럼 얼음 더미 위에 가지런히 놓여 있는 생선들이 먹음직스러웠다. 7시에 예약을 하고 갔는데 식당은 두 테이블을 제외하고는 먹고 마시는 중국인들로 시끌벅적했다. 재래시장의 노점 같은 분위기에 메뉴판도 따로 없다. 수조에 담긴 조개며 생선 앞에 이름과 가격이 쓰여 있다. 손님이 수조 앞을 옮겨 다니며 자신이 먹을 것을 골라 주문을 하는 방식이다. 단위는 씬(斤)이다. 중국인들은 과일이니 생선의 무게를 재는 단위로 찐(斤)을 많이 쓴다. 우리가 몇 근 할 때의 그 근이지만 우리가 600g인 것과 달리 중국은 무게가 500g이다. 꽁찐(公斤)이라고 하면 kg이 된다. 게가 1찐에 118위안이었고, 생선은 종류별로 가격이 달랐다. 눈에 들어오는 대로 골라서 주문하는 재미가 쏠쏠했다. 주문을 하고 앉아 있으면 종업원이 요리를 가져다준다. 홀 한켠에 밑반찬을 퍼다 먹을 수 있게 해놓은 것이 다소 특이했다. 멸치와 땅콩 볶은 것에 소라, 양념간장 등이 푸짐했다.

1. 메뉴판은 없고 가격이 붙은 수조 앞에서 고르면 된다.
2. 밑반찬은 자유롭게 퍼다 먹으면 된다.

3명이 이것저것 시킨다는 것이 다소 과했는지 결국 만두와 맛조개는 반 이상 남았다. 이곳에서 해산물 주문 조절에 실패하는 사람은 나뿐만이 아니었다. 무게에 따라 주문을 하다 보니, 감이 잘 안 와 낭패를 봤다는 식당 후기가 많았다.

〉 동네 맛집 분위기에서 즐기는 해산물 요리 〈

쏸룽시아르어뻬이(蒜茸夏日贝)라는 이름의 가리비 요리는 마늘과 당면을 삶은 가리비 위아래로 곁들였는데, 순식간에 먹어치웠다. 한국인에게 익숙한 마늘 맛에 통통하고 쫄깃한 가리비살이었으니 1인당 2개씩 시켰는데 채 1분이 지나지 않아 없어졌다. 쏸(蒜)은 마늘이라는 뜻이다. 겪어보니 중국 요리의 이름은 재료와 조리법이 들어있는 경우가 많다. 라차오청즈(辣炒蛏子)라는 요리를 풀이해보면, 매운 고추(辣)와 맛조개(蛏子)를 볶았다(炒)는 뜻이다. 메뉴판에 사진이 없을 때는 사전을 찾아가며 해석하면 대략 알 수 있다. 라(辣)가 들어가면 매운 음식인 경우가 많은데 그렇게 맵지는 않았다. 나중에 안 사실은 당면을 올린 가리비는 유명 관광지의 길거리 메뉴로 자주 등장할 정도로 중국인들이 좋아하는 음식이었다.

트어따뚜웨이시아(特大对虾)는 새우를 구워 양념해주는 요리다. 우리식의 대하구이가 있을까 해서 물어봤더니 종업원이 추

1. 쏸롱시아르어뻬이
2. 라차오청즈

3. 트어따뚜웨이시아
4. 쟝먼따피엔코우

천해준 요리였는데, 구운 뒤 양념을 많이 뿌려 느낌은 완전 달랐다. 양념은 새콤달콤하고 색이 붉은 것은 토마토를 쓴 것으로 추정되는데 물어보지는 못했다. 나름 맛이 있었다. 함께 간 중국 학생이 연신 하오츠(好吃, 맛있다)를 외쳐댔다.

사실 생선을 구별하기는 어지간한 사람이 아니고서는 쉽지 않다. 굴비 정도 구별할 줄 아는 막눈이기에 더했다. 종업원에게 가장 많이 팔리는 생선을 추천해달라고 해서 한 마리를 시켰더니 **쟝먼따피엔코우(醬炯大偏口)**라는 이름의 요리가 나온다. 이름이 재미있다. 피엔코우(偏口)는 치우치거나 편향된 입이라는 뜻인데, 광어나 도다리, 가자미 같은 물고기를 말한다. 양념장을 얹은 생선찜 요리인데, 생선의 흰 살은 두툼했고 양념장이 약간 짰다. 밥반찬으로 먹으면 좋을 듯했다.

무팡시에(母螃蟹)는 게를 삶은 요리다. 삶는 것 외에는 어떤 조리도 하지 않았다. 손으로 배를 쩍 갈라 살을 발라 먹으면 된다. 식탁에 있는 조리된 간장에 찍어 먹었다. 하지만 가격대가 만만치 않았다. 어미 모(母) 자를 보고 어미 게라고 단정 지으면 안 된다. 중국어에서는 암수를 나눌 때 꿍(公, 수)과 무(母, 암)로 구분한다. 게에도 암수가 있으니, 암게라는 뜻이다. 킹크랩을 상상하면 안 되는 손바닥보다 조금 큰 크기였는데, 두 마리를 시키니까 165위안이 나왔다. 우리 돈 삼 만원이 조금 안 되는 돈이다. 주문의 기준을 여행자나 유학생이 부담스럽지 않을만한 가격으로 하자고 내심 생각했는데, 게 두 마리 때문에 예산을 초과했다.

무팡시에

중국 어선들이 그렇게 기를 쓰고 우리 서해 앞바다로 넘어와 게
를 잡아가는 것이 게 값이 비싸서 그런가라는 생각을 잠시 했다.
매년 연평도 앞바다에서 벌어지는 전쟁과도 같은 꽃게잡이는 이
렇게 북경의 식탁으로 연결된다. 식당 이름에 들어가 있는 찌아
오똥(胶东)은 산동 반도에 있는 지명이다. 연평도로 몰려오는 중
국 어선들이 수백 척씩 떼 지어 출항하는 곳이 바로 산동이다.
　따로 밥을 시키지는 않고 싼시엔쉐이지아오(三鮮水餃)라는 이
름의 물만두를 주문했다. 싼시엔(三鮮)은 세 가지의 신선한 재료
를 말하기도 하고, 빛깔과 향기, 맛이 신선하다는 뜻이기도 하다.
바다, 육지, 조류의 재료라는 뜻도 있다고 한다. 재료는 각각
이다. 동북 지역에서는 싼시엔(三鮮)에 감자와 가지가 들어간다
고 들었는데, 이 식당의 물만두는 부추와 작은 새우, 조갯살을 품
고 있었다. 우리에게는 삼선짬뽕과 삼선짜장면으로 익숙한 단
어다. 쉐이지아오(水餃)는 물만두를 생각하면 된다. 면도 있다.

요리를 먹고 주식으로 면을 시키면 시원한 해물 칼국수 같은 느낌의 국수가 나오는데 일품이라고 한다.

종업원은 특별하게 친절하지도, 특별하게 불친절하지도 않다. 부르면 무표정하지만 빨리 오고, 게 다리를 잘라 먹는 가위가 있냐고 물어봤더니 난감해하면서도 가위와 펜치의 중간쯤 되어 보이는 도구를 구해왔다. 한국인이 신기한지 주인아주머니가 말을 붙여온다. 이 자리에서 9년째 장사를 하고 있는데 손님은 거의 동네 사람들이라고 했다. 북경의 10월은 바람이 차다. 북풍이라는 말이 점차 실감나기 시작한다. 찬바람이 불기 시작하면 한국에서 먹던 조개구이가 생각날 때가 있다. 가을이면 대하와 전어구이 생각에 동쪽 바다를 쳐다보곤 했는데, 만약 북경에서 그런 맛이 그립다면 한 번쯤 찾아볼 만한 식당이다.

싼시엔쉐이지아오

胶东海鲜 jiāodōnghǎixiān

🕐 가는길
방문학자로 체류 중이던 정법대학 근처의 지점에 갔었다. 근처에 지하철역이 없다. 북경사범대학 앞인데, 북경사범대학 옆에는 우전대학, 중국정법대학이 있다. 우전대학이나 중국정법대학에서는 택시로 기본요금 거리다. 북경사범대학에서는 걸어서 갈 수 있다. 북경사범대학 남문에서 서쪽으로 200미터 정도 떨어진 곳에 있다.

📍 주소
北京市 海淀区 学院南路14号

📞 전화번호
010-62227526

🍱 예산
1인딩 100위안(17,000원)을 잡으면 맥주를 곁들여 배부르게 먹을 수 있다. 단, 게는 비싸다.

⭐ 기타
찌아오똥하이시엔은 체인점이다. 중국어로는 리엔숴(连锁)인데 쇠사슬처럼 연결된다는 뜻이니 체인점을 옮긴 말인 듯하다. 바이두에 검색해 보면 55개의 식당이 나온다. 바이두에는 나오고 실제로 없는 식당도 있긴 하지만, 북경에 수십 개가 있다는 얘기다. 찌아오똥(胶东)은 산동 반도에 있는 지명이다. 산동 반도 앞바다에서 잡은 신선한 해산물을 재료로 쓴다는 얘기다. 머무르고 있는 숙소 근처의 지점을 검색해서 찾아가 보는 것도 좋을 듯하다.

外婆家
wàipójiā

외할머니가 차려주시던
집밥의 따스함

와이포어지아

가정식 백반

外婆家
wàipójiā

외국 생활은 낯설기 마련이다. 한국과 가깝다고는 하지만 중
국도 예외는 아니었다. 처음 짐을 풀고 며칠, 잠이 오지 않아 뒤
척이던 밤에는 스마트폰을 만지작거렸다. 먼저 다녀가거나 머물
고 있는 이들의 꼼꼼한 흔적을 지칠 때까지 검색했다. 어딜 가
나 마찬가지지만 북경에도 한인들의 인터넷 커뮤니티가 잘 발달
해 있다. '북경키즈앤마미'는 주로 아이를 키우는 엄마들의 실생
활 정보가 쏠쏠했고 북경유학생모임은 주머니가 가벼운 학생 커
뮤니티답게 각종 중고물품 거래가 활발했다. 두 곳의 게시판을
여기저기 둘러보다가 맛집이라는 단어가 보이면 거르지 않고 클
릭했다. 밤은 깊어가고 야식은 시켜 먹을 줄 모르니 대리만족이
랄까. 혼자 사는 사람들이 먹방에 열광하는 이유를 몸으로 체험
했다.

북경, 맛집 같은 키워드로 검색하면 항상 나오는 식당들이 몇 있다. 오리구이로 유명한 취앤취더, 따동 카오야, 딤섬으로 유명한 찐딩쉬엔, 훠궈 맛집인 하이디라오, 서태후가 먹었다는 고우부리 만두 등이 반복해서 보였다. 그리고 또 한 군데, 와이포어지아(外婆家)다. 북경뿐만 아니라 중국 전역, 심지어 뉴욕에도 체인점이 있다. 가게는 문전성시여서 세 번 만에야 맛볼 수 있었다. 식사 시간에 맞춰 가길 두 번이었는데 기다리는 사람들로 족히 한 시간은 넘게 줄을 서야할 것 같아 발길을 돌렸었다. 맘 먹고 일찍 간 세 번째에야 자리를 비집고 앉았다. 점심과 저녁 사이에 쉬는 시간이 있어 5시에 여는데 5시 15분쯤 되니 벌써 만석이다.

검색해보면 북경식 집밥, 북경에서 맛보는 가정식 요리라는 블로그들이 보인다. 반은 맞고 반은 틀리다. 와이포어(外婆)는 외할머니라는 뜻이다. 와이포어지아(外婆家)는 외갓집이 된다. 간판 밑에 중국 식당으로는 드물게 GRANDMA'S HOME라고 영어 표기가 있다. 집밥은 맞는데 북경의 집밥은 아니다. '워지아지우짜이시후비엔(我家就在西湖边)'이라고 밑에 쓰여 있다. '우리집은 서호 근처에 있어요'라는 뜻인데 서호는 항저우에 있는 유명한 호수다. 항저우 집밥이라 해야 정확하다. 항저우는 저쟝성(浙江, 절강성)의 성도다. 절강 요리라는 얘기다.

⟩ 소동파가 즐겼다는 동파육의 고장 항저우 ⟨

저장성은 중국 남동쪽 해안에 있다. 바다를 접하고 호수가 많다. 항주와 소주, 두 도시로 유명하다. 중국인들이 입을 모아 하늘엔 천당이 있고 땅에는 항저우와 쑤저우가 있다(上有天堂 下有蘇杭)고 하는 곳이다. 항저우는 남송시대 수도였다. 남방의 물자는 풍부했고 전쟁이 멈춘 땅에는 풍요가 넘쳤다. 사람들은 허리띠를 풀었고, 대륙 전역의 미식가들이 모여들었다. 바다와 땅과 호수에서 나는 신선한 식재료로 만든 요리들은 그 풍경만큼이나 아름답고 황홀했다. 그 맛에 취한 사람들이 요리 하나 하나에 품평을 더했다.

그래서인가 유독 절강 요리에는 딸린 이야기들이 많다. 중국에서 한두 손가락에 꼽는 시인 소동파가 먹었다는 동파육이 바로 항저우에서 나왔다. 돼지고기를 즐겨먹는 중국인들이 빼놓지 않는 요리다. 장강 지역에서 주로 먹었다. 삼겹살 덩어리를 간장에 오래 조리면 입안에 넣자마자 흐믈거릴 정도로 부드러워 진다. 일종의 삼겹살 찜이다. 비계 덩어리인데도 느끼한 맛이 덜하다. 원래는 홍샤오로우(紅燒肉)라고 불렀는데, 소동파가 특히 좋아했다. 항저우의 관리로 부임한 소동파는 비만 오면 넘치던 서호에 제방을 쌓아 주민들의 근심을 덜었다. 그의 치적을 기리기 위해 백성들이 돼지를 잡아 홍샤오로우(紅燒肉)를 해서 바쳤다. 소동파는 그 고기 덩어리를 다시 잘게 잘라 주변의 백성과 나눠 먹었다. 동파육이라는 별칭을 얻게 된 계기다. 동파육 만큼이나 유명한 항저우 요리로 서호에서 잡은 생선을 이용한 찜 요리가 있다. 시후추위(西湖醋魚, 서호초어)라고 한다. 신맛이 난다. 서호에서 어부로 살던 형제가 있었다. 그 고을의 수령이 형을 죽였다. 그 부인을 탐냈기 때문이다. 도망가는 시동생을 위해 형수가 해준 요리다. 형의 복수를 잊지 말라는 뜻이 담겼다고 한다. 요리에 얽힌 사연을 하나하나 듣는 것만으로도 식탁이 풍요로워 진다.

메뉴가 가득 적힌 종이에 체크해서 종업원에게 주는 방식이다. 사진 메뉴가 있는 곳이 있고 없는 곳이 있다. 와이포어지아(外婆家)는 여러 서브 브랜드의 식당을 가지고 있다. 찐파이(金牌)는 금메달이라는 뜻인데, 와이포어지아 이름 옆에 붙어 있는 지점이 있다. 메뉴도 약간 다르고 사진도 없다. 가격대도 차이가 있다. 와이포어지아 찐파이에 대한 만족도는 와이포어지아보다 현저히 떨어진다. 업그레이드 버전이지만 음식 맛이나 서비스, 가격대까지 '금메달'이라는 이름값을 못한다는 것이다. 찐파이 매장에만 있는 재밌는 메뉴가 하나 있다. 메뉴 이름이 한국의 드라마 제목이다. 김수현·전지현 주연의 〈별에서 온 그대〉의 중국 제목인 '라이쯔싱싱더니(來自星星的你)'가 그것이다. 호기심에 주문한 이들의 혹평이 줄을 이었다. 도저히 무슨 맛인지 모르겠다고 한다. 맛을 상상할 수 없는 메뉴인 것은 맞다. 드라마의 인기가 사그라들면 함께 사라질 메뉴다.

메뉴판의 분류가 특이하다. 驰名杭洲冷菜 - 想吃外婆烧的

1. 메뉴판에 체크해서 주면 된다. 사진이 없는 경우가 간혹 있는데 종업원에게 추천요리를 물어보는
   것이 상책이다. 비싼 것을 집어준다고 의심할 필요는 없다. 외국인이라고 말하고 도움을 청하면
   친절하게 이것저것 설명해준다.
2. 깔끔하고 정갈한 겉모습만큼이나 맛도 담백한 편이다.

菜 - 那些年我们一起吃过的菜 - 蒸煲键康菜 - 每日例汤으로 분류가 되어있다. 많이 알려진 항저우 냉채, 먹고 싶었던 외할머니가 해준 음식, 옛날에 우리가 함께 먹었던 음식, 건강에 좋은 찜 요리, 오늘의 추천 탕. 대략 이런 분류다. 메뉴판만 찬찬히 뜯어봐도 중국어 공부가 된다. 메뉴판에는 항저우라는 단어가 많았다. 항저우쟝뤄보어(杭洲酱萝卜, 항저우식 무간장 조림), 항얼시아(杭儿虾, 항저우식 새우요리), 항저우푸피왕(杭洲腐皮王, 항저우식 두부껍질 요리) 뭐 이런 식으로 곳곳이 항저우다.

⩥ 풍부한 식재료로 살려낸 외할머니의 손맛 ⩤

무엇을 먹을까? 와이포어화차이(外婆花菜)를 많이 먹는다고 추천해준다. 브로콜리 요리인줄 알았는데, 사전을 찾아보니 화차이(花菜)는 컬리 플라워라고 나온다. 두긴개긴, 맛두 모양두 비슷하다. 색깔만 다르다. 브로콜리는 녹색이고 컬리 플라워는 흰색이다. 고기를 조금 썰어 넣고 볶았다. 곁들여 먹는 요리로 손색이 없다. 새우깡도 아닌데, 자꾸만 손이 간다.

쏸룽펀쓰시아(蒜蓉粉丝虾)는 와이포지아의 대표 선수다. 쏸(蒜)은 마늘이고 룽(蓉)은 만두에 넣는 소라는 뜻이다. 쏸룽(蒜蓉)은 다진 마늘에 다른 재료를 약간 넣고 볶아서 만든다. 펀쓰(粉丝)는 당면이다. 당면과 새우에 마늘 소를 골고루 뿌린 뒤 쪄내는 요

1. 와이포어화차이
2. 쏸롱펀쓰시아

리다. 마늘 특유의 향이 잘 배어 있다. 쌀밥을 시켰는데 궁합이 잘 맞는다. 와이포지아를 다녀간 블로그들에서 빼 놓지 않고 찾을 수 있는 요리다.

생선 요리도 먹어봄직하다. 똥인꽁위피엔(冬阴功鱼片)이라는 메뉴가 있었다. 똥인꽁(冬阴功)은 세계 3대 수프의 하나라는 태국의 똥얌꿍이다. 닭 육수, 새우, 라임, 레몬그라스 등으로 만드는데 국물 맛이 매콤, 달콤, 새콤하다. 얌이라는 태국 말이 맵고 신 샐러드라는 뜻이다. 이 똠양꿍 국물에 흰살 생선과 팽이버섯을 듬뿍 넣고 끓였다. 간혹 중국 음식이 느끼하게 느껴질 때 생각이 날법한 개운한 신맛이다. 수저로 연신 국물을 떠 먹었다. 흰살 생선은 한입에 먹기에는 약간 크게 썰었다. 계속 끓을 수 있게 냄비 밑에 불을 켜 준다. 다 먹을 때까지 따뜻한 국물을 먹을 수 있다. 1인분 주문했는데도 양이 상당하다.

외할머니집이라 메뉴에는 외할머니가 붙어있는 음식이 많다. 와이포어카오로우(外婆烤肉)는 구운 돼지고기다. 한쪽을 바싹 구웠다. 찐파이와이포어지아(金牌外婆家)에는 다른 이름의 구운 고기가 있다. 신파이카오로우(新派烤肉)다. 신파이(新派)는 말 그대로 새로운 형식이다. 구운 고기 대여섯 점에 밀전병과 오이, 찍어 먹는 소스가 나온다. 북경 오리구이를 먹을 때처럼 고기에 소스를 찍어 밀전병에 싸먹었다. 오이를 크게 썰어 싸먹기에는 컸다. 고기쌈을 먹고 오이를 베어 물었다. 역시 한쪽을 바싹 구웠다. 다른 메뉴에 비해 양이 조금 적은 편이다.

1. 똥인꽁위피엔
2. 신파이카오로우

마라또우푸

와이포어지아는 가성비로 유명한 집이기도 하다. 가격이 저렴한 편인데 마라또우푸(麻辣豆腐)는 그 사실을 알려주는 메뉴다. 한 접시에 3위안, 우리 돈으로 오백 원이 안 된다니 눈에 확 들어온다. 마라라고 써 놨지만 마파두부라고 생각하면 익숙하다. 양도 적지 않다. '우리 식당은 가격이 싸요'를 광고하기 위한 메뉴가 아닌가 생각될 정도다. 찐파이와이포어지아(金牌外婆家)에는 안타깝지만 없다.

절강 요리는 식재료의 풍부함으로 유명하다. 바다와 접해 있고, 강과 호수를 끼고 있다. 땅은 기름지고 높지 않은 산에는 각종 풀과 꽃이 자란다. 야생의 풀을 뜯어 먹은 짐승의 살은 보들거린다. 녹차, 죽순, 연잎 같은 식재료들은 요리를 고급지게 한다.

식당의 외관도 식탁 위에 올려지는 요리의 느낌도 모두 정갈하다. 전란에 지친 한족들은 중원을 떠나 남방으로 향했다. 북방의 이민족들이 장성을 넘어 중원을 차지했을 때, 남방은 또 다른 중원이 되어 영화를 누렸다. 항저우에 수도를 둔 남송 역시 풍부한 물산을 바탕으로 북방 이민족과 거래했다. 평화를 돈 주고 산 후에도 돈이 넘쳐났다. 그 남방의 풍요를 안다면 절강 음식을 먹을 때 맛을 더할 수 있다.

外婆家 wàipójiā

🕐 **가는길**

바이두에 검색하면 북경에 10개 지점이 있는 것으로 나온다. 본
점은 항저우에 있고 상하이에서도 맛볼 수 있다. 찐파이와이포어
지아(金牌外婆家)는 북경의 월스트리트인 금융거리 쇼핑센터에
있다. 메뉴와 가격이 약간 다르다. 관광객들이 많이 몰리는 왕푸징
APM 건물 6층에 있는 곳이 찾아가기 편하다. 물론 어딜 가나 식사
시간에는 긴 줄과 대기시간은 감수해야 한다.

📍 **주소**

北京市 东城区 王府井大街138号 新东安广场 6층
(찐파이와이포어지아(金牌外婆家)는 北京市 西城区 金城坊街2号
金融街购物中心 지하 1층으로 가면 된다.)

📞 **전화번호**

010-65275115 (찐파이와이포어지아 지점 : 010-66220506)

💰 **예산**

마라또우푸가 3위안(540원)이다. 하지만 이렇게 싸다니라는 생각
은 착시다. 가성비는 뛰어나지만 동네 식당에 비할 수는 없다. 주
요 메뉴는 40위안(6,800원) 안팎이다. 50위안(8,500원)을 넘어가는
요리도 많다. 그래도 이만한 분위기에 깔끔하게 한 끼를 즐길 수
있는데 1인당 100위안(17,000원) 정도면 기꺼이 지갑을 열 만하다.

海底捞

hăidĭlāo

13억 중국 대륙을 펄펄 끓게 만드는
기세등등한 맛

하이디라오 훠궈

海底捞
hǎidǐlāo

≳ 훠궈는 백가지고 그 맛은 천가지다 ≲

과장을 좀 보태면 북경 식당가에서는 너댓 집 건너 한 집 꼴로 훠궈(火鍋)라는 간판을 볼 수 있다. 궈(鍋)는 여러 번 설명했지만 솥, 냄비, 가마 등 끓여서 조리하는 기구를 뜻한다. 훠궈(火鍋)는 끓는 육수에 고기나 생선, 채소 같은 식재료를 넣어, 즉석에서 데쳐서 먹는 음식을 통칭한다. 우리에게는 샤부샤부라는 일본말이 좀 더 낯익다. 샤부샤부는 '살짝'이라는 뜻이니 데쳐 먹는 방법에 방점을 찍은 말이라면, 훠궈는 끓여먹는 조리기구가 요리 이름이 됐다. 슈완양로우(涮羊肉)라는 식당도 많이 보이는데, 우리 신선로 같은 냄비를 쓰고 맑은 탕을 주로 쓴다. 이에 비해 훠궈는 단연 마라탕이다. 시뻘건 국물이 펄펄 끓어야 훠궈를 먹는다고 할 수 있다. 넣어먹는 재료도 내장부터 해물류까지 다양하다.

훠궈나 슈완양로우나 북방 유목 민족이 투구에 물을 끓여 고기를 데쳐 먹었다고 유래를 알고 있으나 사실 훠궈의 유래는 지방에 따라 다양하다. 충칭(重庆)에 있는 훠궈 박물관에 가면 강에서 배를 끄는 일을 하던 인부들의 조각상이 있다. 이들이 버려지던 물고기의 내장을 마늘, 생강, 화지아오 등 매운 맛의 양념을 넣고 끓인 물에 데쳐 먹은 것에서 훠궈의 유래를 설명하고 있다. 재료도 지방마다 조금씩 다르다. 북방은 양고기가 주류라면 남방은 해산물 훠궈도 많다. 개고기 훠궈를 즐기는 지방도 있다. 신문 칼럼에서 '훠궈는 백가지고, 그 맛은 천 가지다(鍋百味千)'라는 말을 본 적도 있다. 그중에서도 중국인들이 꼽는 엄지손가락은 단연 쓰촨식 훠궈, 바로 충칭 훠궈다.

시진핑과 대륙의 권력을 양분하고 있는 리커창 국무원 총리가 충칭시의 경제 발전을 극찬하며 '충칭 경제가 훠궈(火鍋)처럼 뜨겁다'라고 말 한 것이 한동안 화제였다. 중국 내 경제성장률 1위를 구가하는 충칭을 펄펄 끓는 훠궈에 빗댄 것이다. 어느새 훠궈는 충칭의 상징으로 자연스레 받아들여졌다. 북경 시내 너댓 집 건너 한 집 꼴로 훠궈 집이라면, 그 중 서너 집 건너 한 집은 충칭 훠궈 간판을 달고 있다. 매운 맛을 내는 향신료인 화지아오를 듬뿍 넣은 국물을 가운데 두고 삼삼오오 모여앉아 얼얼해진 혀를 식혀가며 먹는 맛이 훠궈의 대표주자 충칭 훠궈다. 중국인들 스스로 한번 중독되면 헤어나오기 어려운 마약 같다고 말한다.

대게 북경으로 몰리는 한국 특파원들이 중국에 적응했는지를 가늠하는 척도로 펄펄 끓는 훠궈의 벌건 국물을 꼽기도 한다. 임기를 마치고 한국으로 돌아가는 선배를 환송하는 자리와 그 자리에 새로 부임하는 선배의 환영식에 1주일 사이로 참석한 적이 있었는데, 공교롭게 모두 코리아타운인 왕징의 유명 훠궈집이었다. 주로 시켜먹은 메뉴도 같았고, 심지어 참석 인원이 다르지 않아서 그런지 자리도 비슷했다. 그러면서 서로 훠궈의 매운맛에 누가 더 적응했는지를 가지고 시시콜콜 떠들며 킬킬거렸던 기억이 있다. 13억 중국인은 물론 대륙을 찾는 한국인에게도 훠궈는 거쳐야 할 관문이 된 셈이다.

맛보다 먼저 먹게 되는 서비스의 맛

대륙에서 훠궈의 인기는 통계로도 입증된다. OC&C 전략 컨설팅기업 이란 곳에서 중국 21개 도시, 2,600명을 대상으로 중국인

이 가장 좋아하는 음식을 조사한 적이 있다. 38%의 중국인이 훠궈를 꼽았다. 압도적인 1위다. 그리고 제일로 생각하는 프랜차이즈 음식점을 묻자 하이디라오(海底撈)를 꼽았다. 역시 훠궈 전문점이다. 하이디라오는 쓰촨에서 탁자 4개를 놓고 시작한 훠궈 식당이다. 20여 년 만에 종업원 만 5천여 명이 넘는 거대 체인으로 급성장했다. 중국인들에게도 더 이상 하이디라오를 평가한다는 것 자체가 무의미할 정도다. 대부분의 후기가 '두말할 필요가 없다'는 말로 시작한다.

하이디라오를 찾은 날, 여느 때와 마찬가지로 사람들로 북적였다. 예약을 하지 않으면 한두 시간 기다리는 것이 기본이다. 여기서부터 하이디라오의 진면목이 시작된다. 기다리는 사람들을 위해 과일에서 과자와 음료까지 원하는 만큼 제공된다. 여성들을 위해서는 네일 아트를 해주고 남성들의 구두도 닦아준다. 대기번호가 다가오면 미리 주문을 할 수도 있다. 자리에 앉은 다음 주문하는 시간을 줄이기 위한 배려다. 보드게임 테이블까지 마련해두고 기다리는 시간이 지루하지 않게 하려는 서비스에 손님들은 기꺼이 줄을 서고 대기번호를 받는다.

식당에 들어가면 눈만 마주쳐도 웃음으로 대해준다. 중국 식당에서 일반적으로 보기 힘든 장면이다. 휴대폰에 훠궈 국물이 튈까봐 비닐 봉투를 주고, 머리가 긴 여성에게는 머리끈도 준다. 화장실에 가면 수건과 핸드크림을 내어주는 종업원이 따로 있다. 맛보다 먼저 먹게 되는 서비스의 맛에 홀릴 수밖에 없다. 탁자

주문하면 먼저 탕을 한 사발 준다. 진하고 뜨끈하다.

마다 아이패드가 있는데, 음식 사진을 누르면 바로 주문이 된다. 목청껏 푸우위엔(服务员, 종업원)을 부를 필요가 아예 없다.

기본 세팅과 함께 먼저 맑은 탕을 작은 사발에 담아 내어준다. 오리와 돼지, 소뼈를 넣고 우려낸 국물이다. 그만큼 탕 국물에 자신이 있다는 얘기다. 보통 벌건 홍탕과 맑은 백탕을 반반씩 주문한다. 데쳐 먹을 재료는 세다가 지칠 정도로 많다. 고기는 소고기, 양고기, 돼지고기가 부위 별로 있다. 돼지 목 연골, 돼지 선지, 소 힘줄, 소 혓바닥, 오리 혀, 오리 위, 간 천엽 등 여간한 중국어 실력이 아니면 읽기도 어렵다. 해산물도 마찬가지다. 미꾸라지, 초어, 꽃게, 오징어에 생선살을 뭉쳐서 만든 완자도 있다. 끓고 있는 탕 속에 작은 철망으로 구분해 놓은 곳에 새우살 같은 해물이나 내장을 넣어 데쳐 먹게끔 해 놨다. 디테일이 살아있다는 말은 이럴 때 쓰는구나했다. 야채 중에는 버섯의 종류가 많다. 목이, 표고, 팽이 등이 있다. 콩 새싹, 쑥 줄기, 귀리 잎, 쑥갓, 고수, 시금치, 고구마 줄기, 곤약, 동과까지 뭘 시켜야 할지 눈은 호강이고 침은 고인다.

⌇ 훙탕과 백탕을 오가는 전력질주 ⌇

가장 기본인 소고기, 양고기, 채소만 시켰는데 탁자가 꽉 찬다. 아오저우페이니우(奧洲肥牛)는 소고기 요리다. 페이니우(肥牛)는 소고기를 말하고, 살이 통통하게 오른다는 뜻의 페이(肥)를 앞에 많이 붙여 쓴다. 아오저우(奧洲)는 오스트레일리아. 호주산 소고기라는 얘기다. 차오위엔까오양로우(草原羔羊肉)는 내몽고에서 키운 새끼 양고기다. 까오양(羔羊)이 어린 양을 말한다. 양꼬치나 슈완양로우(涮羊肉)는 식당 메뉴판을 자주 보다보면 눈에 저절로 들어오는 단어다. 슈차이핀판(蔬菜拼盤)은 말 그대로 슈차이(蔬菜, 채소), 핀판(拼盤, 모듬)이다. 오가다 다른 테이블을 보니 새우살과 천엽 같은 내장도 많이 먹는다. 주문한 뒤에는 소스를 만들러 간다. 소스 종류만 수십 가지다. 처음 가는 사람은 어떻게 뭘 먹어야 할지가 난감하다. 잘 모르면 기본으로 마장 소스에 기호에 맞게 섞으라는데, 처음 보는 소스가 많아 손 댈 엄두가 나

1. 보통 백탕과 홍탕을 함께 주문한다. 이외에도 탕의 종류는 여러 가지다. 내장이나 해산물을
   데쳐 먹으라고 탕 속을 구분해 둔 세심함이 엿보인다.
2. 3. 고기와 내장을 주문하면 한 접시씩 나온다.

소스와 과일을 가져다 먹을 수 있다.

지 않았다. 동행의 도움을 받거나 안전한 것 위주로 섞는 게 상책
이다. 결국 경험이 쌓여야 자신에게 맞는 맛을 찾을 수 있다. 부
추와 고추기름에 몇 가지 향신료를 조금 섞었는데 그럭저럭 먹을
만했다. 소스 위에는 과일이 쌓여있다. 가져다 먹으면 된다. 수
박, 귤, 바나나, 방울토마토 등 물기가 묻어있는 과일들이 꽤 신
선해 보였다.

준비가 끝나면 전력질주 하면 된다. 얼얼한 홍탕에 마비된 혀
는 백탕에 담근 고기와 야채로 달랜다. 때론 북경 특산 이과두주
로 달래기도 한다. 그렇게 몇 번인지도 모르게 반복하다 보면 땀
은 흐르고 배는 불러오는 데 멈출 수가 없다. 마지막 라오파이

1. 한 상 가득한 고기와 채소 등에 눈은 호강이고 침은 고인다.
2. 면을 주문하면 반죽을 즉석에서 면발로 떠주는데 묘기에 가깝다.

라오미엔(撈派撈面)이 결승점이다. 하이디라오에서 만드는 면쯤
으로 해석할 수 있다. 그냥 면만 주는 것이 아니라 퍼포먼스가
있다. 하얀색 옷을 입은 청년이 탁자 옆으로 오더니 반죽을 떼어
즉석에서 면발을 늘린다. 줄넘기를 하는 것 같기도 하고 춤을 추
는 것 같기도 하다. 서커스 묘기 수준이다. 반죽을 바로 국수로
뽑아주니 보는 맛도 먹는 맛도 일품이다. 맑은 국물에 담갔다가
소스를 찍어먹어도 되고, 벌건 국물에 담그면 마라탕면이 된다.
결승점까지 달린 보람이 있다.

　중국에 처음 짐을 풀었을 때 학교 근처에 샤부샤부라는 훠궈
체인점이 있었다. 하이디라오 보다는 가격이 저렴한 체인이다.
보통 마트 근처에 많다. 뜨거운 여름인데도 식당을 가득 메우
고 땀을 비 오듯 흘려가며 훠궈를 먹는 모습이 낯설었던 기억이
있다. 하이디라오를 드나들다 보니 그 낯선 모습에 어느새 동참
해 계절을 가리지 않는다. 매운탕에 혀를 밖으로 내밀고 호호 불
어가며 먹는 것을 좀 쉬면, 자다가 생각날 정도가 돼야 중국에 익
숙해지는 것이라고 동행이 말한다. 하이디라오는 '좋은 훠궈는
스스로 말한다(好火鍋自己會說話)'는 문구를 새겨놨다. 고개를 끄
덕이게 되는 식당이다.

海底捞 hǎidǐlāo

🕐 **가는길**

바이두에 검색해보면 북경 시내 29곳의 지점이 나온다. 코리아타운인 왕징에도 두 군데가 있다. 한국 사람들이 많이 묵는 교문호텔이 있는데, 그 옆 럭키플라자 2층에 자주 갔다. 한글 간판이 많아 찾기 쉽다. 지하철 왕징역에서 걸어서 5분이 걸리지 않는다. 기다리는 시간이 지루하지 않다지만 예약은 필수다. 24시간 영업한다.

📍 **주소**

北京市 朝阳区 湖光中街甲六号 望京港旅大厦 2층

📞 **전화번호**

010-64709181

💰 **예산**

소고기는 46위안(7,820원), 양고기는 44위안(7,480원), 채소 모둠 34위안(5,780원)이다. 1인당 100위안(17,000원) 미만으로 이과두주 한 병 곁들여서 넉넉하게 먹을 수 있다. 여럿이 갈수록 1인당 부담해야 하는 가격이 내려가는 느낌이 든다.

南锣肥猫烤鱼
nánluóféimāokǎoyú

강의 생명력이 살아있는
펄떡이는 물고기들의 향연

난뤄페이마오카오위

카오위

南锣肥猫烤鱼
nánluóféimāokǎoyú

⋛ 강에서 잡아 올린 펄떡이는 생명력 ⋚

KBS 1TV에서 방영된 〈아무르〉라는 다큐멘터리에서 중국에서는 흑룡강이라고 부르는 아무르강 주변의 사람과 생태를 보여주는 데 중국의 민물고기 잡이가 나온다. 무대는 길림성에 위치한 차간호(查干湖)다. 차간호는 중국의 10대 호수 중 하나인데 서울의 2/3 정도 되는 크기다. 이곳에서는 겨울에 한 달, 전통방식의 고기잡이가 허용된다. 이것을 '查干湖 冬捕节(차간호 겨울 고기잡이 명절)'이라고 한다. 1월 동북의 날씨는 그야말로 칼바람이다. 영하 30도가 우습다. 촬영하던 카메라의 배터리가 너무 빨리 방전되어 곤욕을 치렀다는 선배의 후일담을 들은 적이 있다. 그 북풍을 뚫고 해가 아직 뜨지도 않은 새벽부터 어부들은 분주히 움직인다. 트럭이 지나가도 될 만큼 두껍게 얼어붙은 호수 위로 수백 개의 구멍을 뚫는다. 구멍에 그물을 치고 들어 올리는 것은 말의 힘을

빌린다. 그 칼바람에도 땀을 흘리는 말들은 몸을 식히기 위해 얼음덩어리 위에 벌러덩 누워 몸을 비빈다. 그물과 함께 차간호 밑에 있던 물고기들이 딸려 올라오는데 보통 어른의 팔뚝만 한 크기에 펄떡이는 힘이 대단해 보였다. 중국에서 민물 생선 요리를 먹을 때, 가끔 차간호의 펄떡이던 물고기들이 생각났다. 차간호의 민물고기는 대륙 각지로 비싸게 팔려 나간다.

⨾ 훠궈 못지않은 카오위의 인기 ⨽

중국은 워낙 땅이 넓은 나라다 보니 강도 호수도 많다. 황하와 장강은 물론 동남아의 젖줄인 메콩강의 발원지도 중국이다. 웬만한 도시보다 넓은 담수호도 여럿이다. 그 풍부한 물줄기를 거슬러 건져 올리는 민물고기는 중국 요리의 주요한 재료가 된다. 그중 최근 북경에서 단연 눈에 띄는 요리는 카오위(烤鱼)다. 카오위는 쓰촨 혹은 충칭식 민물고기 요리다. 체감으로는 훠궈 못지않은 기세로 늘어나는 듯하다. 물고기를 일단 구운 후, 다시 쪄서 먹는 방식이다.

처음 북경에 짐을 풀고 식당을 찾아다닐 때도 유독 눈길을 끌었던 음식이 카오위였다. 식탁을 가득 채울 만한 네모지고 움푹한 냄비 안에 벌건 고추가 잔뜩 올려져 나왔다. 냄비 밑으로 불을 켜 은근하게 계속 끓이는데, 적당하다 싶으면 고추를 헤집고 들

어간다. 그러면 생선이 모습을 드러내는데, 그 하얀 속살을 덩어리째 젓가락으로 집어 올리는 것이 옆에서 보기만 해도 먹음직스러웠다. 우선 붉은색 고추로 가득 덮여 있는 비주얼이 압도적이고, 큼지막하게 집어 올릴 수 있는 새하얀 살덩이가 대비되어 돋보였다.

중국을 책으로 배울 때만 해도 중국 요리 사진이나 그림에서 물고기를 많이 보지 못했던 것 같은데, 늘어나는 카오위라는 간판은 그런 선입견을 무색케 한다. 쪄 먹거나 튀겨 먹거나, 찐 생선을 튀기기도 하는 이들의 생선 사랑은 가끔 영국의 대표 메뉴인 피쉬앤칩스를 떠오르게도 한다. 카오위는 쓰촨에서 유래했다고 하지만, 큼지막한 생선을 찌거나, 튀긴 생선에 양념을 발라 먹는 음식은 지역을 불문하고 맛볼 수 있다. 압록강을 여행할 때, 따궈위(大锅鱼)라는 간판을 단 식당들이 줄지어 있는 시골 마을을 지난 적이 있다. 직역하면 큰솥에 조리한 생선이라는 뜻이다. 큰솥에 기름을 잔뜩 붓고 장정의 허벅지 두께만 한 잉어를 튀긴 후에 양념을 듬뿍 뿌려 먹는데, 카오위와 맛이나 모양이 비슷하다. 쓰촨의 상징인 매운 양념이 아니라는 점만 달랐다.

최고의 밥도둑 카오위에 중독되다

훠궈집만큼이나 카오위라는 간판을 단 집들이 많이 늘어나고 있다. 물론 일반 식당에서도 파는 곳이 많다. 그중 난뤄페이마오 카오위(南锣肥猫烤鱼)는 카오위만 전문으로 하는 식당이다. 페이마오(肥猫)는 살찐 고양이라는 뜻인데, 식당의 마스코트다. 메뉴판에도 그릇에서도, 식당 입구에서도 귀엽게 웃고 있다. 중국 친구가 운영하는 훠궈 식당이 있었는데 가게 이름이 '미친 앵무새'였다. 실제 식당 입구에 새장을 놓아두고 지나가는 행인들이 짹짹거리는 새를 보러 새장 앞으로 오면 종업원이 곁에 붙어 호객을 했다. 뭐든 눈길을 끄는 것이 있으면 손님 맞는 데 도움이 된다. 이 식당은 손님이 입구에 나가 행인들을 향해 '이 집 카오

1. 우장위 : 커다란 물고기 전체가 빨간 고추로 덮여 있다. 고추를 헤집고 들어
   가면 다시마, 연근, 미역, 두부, 고기완자 등 각종 토핑을 건져 먹을
   수 있다.
2. 오우피엔

위가 제일 맛있다'라고 크게 세 번 외치면 작은 음식을 하나 공짜로 내어줬다. 여러모로 아이디어가 귀여운 식당이다.

동행의 추천으로 우쟝위(乌江鱼)를 주문했다. 우쟝(乌江)은 장강의 지류다. 찾아보니 쓰촨과 꾸이저우를 흐르는데, 사진을 찾아보니 물살이 세고 급해 보인다. 우쟝위(乌江鱼) 전문 휘궈 식당도 검색할 수 있다. 식당에는 카오위도 종류가 여럿 있었다. 마라(麻辣) 카오위가 눈에 들어왔다. 여하튼 매운 것 좋아하기로는 우리 못지않은 사람들이다. 메뉴판에 따로 가격은 없다. 카오위를 고르면 무게로 계산을 한다. 종업원이 손님 머릿수에 맞는 양인지 설명을 해준다.

카오위 주문이 끝났다면 페이차이(配菜)를 골라야 한다. 직역하면 보조요리인데, 카오위에 함께 넣어 먹을 일종의 토핑이다. 페이차이의 종류는 수십 가지다. 보통 채소 종류를 듬뿍 넣어 먹어버릇했는데, 해물이나 고기완자도 있다. 두부의 물기를 빼고 세게 눌러서 만든 두부피를 쫄깃한 맛에 항상 넣어서 먹었다. 하이따이(海带)도 주문했다. 하이따이는 다시마다. 뒤에 야(芽)를 붙이면 하이따이야(海带芽), 한국 사람들이 좋아하는 미역이다. 오우피엔(藕片)도 시켰다. 오우(藕)는 연근이다. 살짝 익혀서 먹으면 아삭하게 씹히는 맛이 좋다. 카오위의 매운맛을 덜해주는 느낌도 있다. 칭순(青笋)도 주문했다. 순(笋)은 죽순이다. 곁들여 먹으면 잘 구워진 생선의 풍미를 더한다. 난뤄페이마오카오위에도 샐러드 바가 있다. 간단한 반찬과 과일 같은 주전부리를 직접 가져다

먹을 수 있다. 난과조우(南瓜粥, 호박죽)라고 하는 호박죽이 있는
데, 중국인들도 몇 그릇씩 가져다 먹는다. 맛은 우리가 먹는 호박
죽과 비슷하지만 조금 묽은 편이다.

 고추로 덮인 물고기가 나왔다. 역시나 큼지막하다. 매콤한 향
과 두터운 살의 조화에는 확실히 끌어당기는 힘이 있다. 쌀밥과
함께 먹었다. 밥 한 순갈 먹고 물고기 한 점 크게 집어먹기를 기
계적으로 반복했다. 밥 한 그릇이 금방이다. 한국에서는 짭짤하
면 밥도둑이었는데, 북경에서는 얼얼하게 매운맛이 밥도둑이다.
이미 배는 불러왔지만 알뜰하게 가시를 발라가며 마지막까지 젓
가락질을 멈추지 않았다. 이곳에서 카오위를 먹어본 중국인들도

비슷한 표현을 많이 쓴다. 본인의 최대 식사량 기록을 갱신했다, 내 위의 크기를 새롭게 확인했다는 등의 후기다. 맛있다는 이야기도 되겠지만, 간이 센 편이라는 해석도 되겠다. 점심 저녁을 가리지 않고 커다란 카오위 앞에 서넛이 모여 앉는 중국인들을 닮아간다. 훠궈에 이어 카오위에도 맛을 들인다. 이런 것이 중독인가 싶었다. 중국을 알아가고 친숙해질 수 있는 중독이라면 마다할 이유가 없었다.

南锣肥猫烤鱼 nánluóféimāokǎoyú

🕐 가는길   북경에 아홉 군데 지점이 있다. 티엔지에고우쭝신(天街购物中心)
           이라는 쇼핑몰에 있는 지점에 갔었다. 지하철 창잉역(常营) 출구
           와 연결되어있어 오가는 것이 편했다.

📍 주소   北京市 朝阳区 朝阳北路 长楹天街购物中心 东区 4층

📞 전화번호   010-65432273

🍚 예산   1인당 100위안(17,000원)을 잡으면 적당하다. 각종 소셜앱에 할인
           권이 자주 올라온다. 272위안(46,240원) 하는 카오위 세트가 231
           위안(39,270원)이다. 중국인이든 한국인이든 따죵디엔핑(大众点
           评)이라는 앱을 가장 많이 이용한다. 퇀고우(团购)라는 단어를 찾
           으면 할인권을 검색할 수 있다. 퇀고우는 수시로 바뀐다. 경험이
           쌓이면 북경에서는 제값 내고 먹으면 왠지 손해라는 생각을 하게
           된다. 토핑, 페이차이(配菜)는 한 종류에 9위안(1,530원)씩이다. 난
           뤄페이마오카오위의 회원카드도 만들 수 있는데, 당일에는 사용
           할 수 없다. 다양한 혜택들이 있다고 하니, 비교적 오랜 시간 머무
           는 유학생들은 참고하면 좋을 것 같다.

一轩饺子馆
yìxuānjiǎoziguǎn

만두피 속 다양한 재료만큼이나
다채로운 만두 이야기

이쉬엔지아오즈관 ^{만두}

一轩饺子馆
yìxuānjiǎoziguǎn

⟩ 만두가 제갈량이 만든 음식이라고!? ⟨

만두 싫어하는 한국 사람은 거의 없다. 간식으로도 먹고 주식으로도 먹는다. 찜통에서 갓 꺼내서 김이 모락거리는 분식집 풍경이 자연스레 그려진다. 만두는 중국에서 전래됐다고 본다. 쌍화점이라는 고려 가요의 노랫말이 야릇하다. '샹화점(雙花店)에 샹화(雙花) 사라 가고신댄 회회(回回) 아비 내 손모글 주여이다.' 쌍화는 발효시킨 밀가루에 소를 넣고 찐 음식이다. 바로 만두다. 회회 아비는 무슬림인 회족 또는 위구르인이나 몽골인일 것으로 추측된다. 만두가게에 만두를 사러 간 여인이 가게 주인인 외국인과 정을 나눈다는 내용이다. 노랫말의 본질은 아니지만 만두가 중국을 통해 전래되었다는 근거로 쓰인다.

중국에서는 삼국지를 통해 만두의 기원을 찾는다. 제갈량은 북벌을 앞두고 남쪽의 이민족을 정벌하러 간다. 맹획을 일곱 번 사로잡고 일곱 번 놓아주었다는 칠종칠금의 고사 끝에 남방을 평정한다. 그런데 귀국 길에 노수라는 강에서 심한 비바람을 만나 발이 묶인다. 남쪽의 풍습대로 하면 사람 머리 마흔아홉 개를 준비해 강의 신에게 제사를 올려야 했다. 제갈량은 산 사람을 제물로 쓰기 위해 죽일 수는 없다며, 밀가루를 반죽한 뒤 안에 양고기를 넣어 사람 머리처럼 만들었다. 남쪽 이민족을 만인(蠻人)이라고 불렀기 때문에 머리 두를 써서 만두(蠻頭)라고 불렀다는 이야기다. 시간이 지나면서 음이 같은 만(饅)을 대신 사용해서 만두(饅頭)가 됐다고 한다. 제갈량이 만든 음식으로 널리 알려진 계기다. 하지만 정사에는 나오지 않는다. 삼국지가 오랜 기간 구전되다가 명, 청대에 완성된 소설임을 생각해보면 후세의 작가들이 꾸며낸 이야기일 가능성이 높다.

⟩ 닮은 듯 서로 다른 한중 만두 이야기 ⟨

어찌 되었든 한국인도 중국인도 만두를 즐겨 먹는다. 북경 식탁에도 만두가 오르고 서울 식탁에도 만두가 오른다. 북경에 짐을 풀고 한동안 한국 스타일의 만두를 찾아다닌 적도 있지만, 북경 식탁의 만두는 이방인의 눈에 한국의 그것과 닮은 듯 다른 듯 묘했다. 우연이든 필연이든 양국의 식탁에 오르는 만두 하나만 봐도 한중 관계가 어찌 얽혀있는지 가늠할 수 있겠다는 생각도

했다. 이쉬엔지아오즈관(一轩饺子馆)은 최근 들어 북경에 거주하는 한국인들에게 입소문이 나기 시작한 만두 전문점이다. 코리아타운인 왕징에 두 곳이나 지점이 있다.

양국 국민이 똑같이 좋아하긴 하는데, 부르는 이름이 서로 다르다. 중국어를 처음 배울 때 양국이 쓰는 한자어의 차이를 설명하는 데 예로 많이 든다. 우리는 만두라는 이름으로 부르지만 중국은 지아오즈(饺子), 빠오즈(包子), 만터우(馒头)로 나뉜다. 우리와 한자가 같은 만터우(馒头)가 우리 만두와는 가장 다르다. 중국의 만터우에는 속이 없다. 그냥 밀가루를 뭉쳐놓은 일종의 빵이나 떡을 생각하면 된다. 아무런 맛이 없다. 당연 만터우만 먹지는 않는다. 우리가 밥에 반찬을 곁들여 먹듯이 만터우와 요리를 같이 먹는다. 중국집에서 고추잡채를 시키면 꽃빵을 같이 주는데, 꽃빵을 뜯어 고추잡채를 얹어 먹는 것을 생각하면 쉽다. 대학교 식당에 간혹 동네 주민들이 와서 음식을 주문하곤 했다. 종종 만터우를 잔뜩 사서 포장해 가는 할머니들을 봤었다. 마트에서도 만터우 같이 속이 없는 밀가루 빵을 종류별로 파는 코너가 따로 있었다. 집에서 밥을 따로 할 필요가 없다. 남방이야 쌀이 흔했지만 북방은 춥고 땅이 거칠어 밀을 주로 먹었다. 만터우는 북방의 주식이었다고 보면 된다.

우리가 익숙한 만두는 중국에서는 빠오즈(包子)와 지아오즈(饺子)라고 한다. 북경에서 가장 많이 먹은 음식이다. 밥처럼 만두를 먹었다. 실제 중국 대학생들은 아침으로 빠오즈를 많이 먹는다. 빠오즈는 우리 왕만두를, 지아오즈는 우리 물만두를 떠올리면 모양이 비슷하다. 빠오(包)가 싸다, 포함한다는 뜻이니 빠오즈는 말 그대로 고기와 야채 같은 속을 넣고 찐다. 크기가 두툼하다. 겨울에 많이 먹는 호빵만 한 것이 보통이다. 땅이 넓은 나라다 보니 지역에 따라 방식에 따라 빠오즈도 천차만별이다. 신장 위구르에서는 화덕에 구운 빠오즈를 먹는다. 카오빠오즈(烤包子)라고 한다. 산동에서 쉐이쩡빠오(水蒸包)라고 해서 기름 대신 물을 뿌려 구운 빠오즈가 있다. 옛 송나라의 수도였던 카이펑(开封, 개봉) 지역에는 카이펑관탕빠오(开封灌汤包)라는 빠오즈가 유명하다. 송나라 황실에서 먹던 음식이라고 하는데, 빠오즈 안에 탕이 들어가 있다는 뜻이다. 뜨거운 탕이 들어있는 빠오즈라니 아직 먹어보진 못했지만, 먹을 때 조심해야겠다는 생각만 했다. 광동의 딤섬에도 빠오즈라는 말을 많이 쓴다. 달달한 소스에 고기를 넣어 쪄낸 챠슈빠오가 대표적이다. 샤오롱빠오(小龙包, 소롱포)도 빼놓을 수 없다. 얇은 만두피를 깨물면 뜨거운 육즙이 흘러나온다. 처음 먹었을 때 '세상에 이런 만두가 다 있네'라는 강한 인상을 받게 된다. 만두계에 일대 혁명이라고 불렸다는데, 세상에 나온 지 채 백오십년이 되지 않았다. 상하이에서 만들어져 대륙으로 순식간에 퍼졌다. 청나라의 나라 예산을 먹고 마시는 데 탕진했다고 하는 서태후도 빠오즈를 즐겨 먹었다. 고우부리 빠오즈(狗不理包子)가 그것이다. 훗날 청나라의 문을 닫고 마지막 황제를 폐위시킨 위안스카이가 신하였던 시절, 서태후에게 진상했었다. 텐진에 본점이 있고 천안문 앞에 큰 지점이 있다. 가게 입구에 만두를 먹고 있는 서태후 상이 있다. 사진을 찍는 관광객들로 항상 북적인다.

　한국에서 설을 맞는 조선족 동포들의 모습을 찍은 다큐멘터리가 있었다. 설인데 고향에 가지 못한 그들은 삼삼오오 모여서 만두를 빚었다. 중국에서는 설에 가족이 다같이 모여서 지아오즈(饺子)를 먹는 풍습이 있다. 중국에서는 설을 춘지에(春节, 춘절)라고 부르는데, 공식 휴일에 연차를 비롯한 온갖 휴가를 붙여서 보통 2주 정도를 쉰다. 기차를 타고 하루 종일 달려 고향을 찾는 사람들로 대륙은 그야말로 민족대이동이다. 중국어 과외를 해주던 학생도 춘지에라며 고향에 돌아갔다. 뭐 할거냐는 질문에 지아오즈를 먹고 〈춘완〉을 본다고 한다. 〈춘완〉은 CCTV에서 설에

메뉴판에는 다양한 만두소 재료 사진과 조리법이 친절하게 설명되어 있다.

하는 버라이어티 쇼 프로그램이다. 본인은 별로 재미없는데, 어른들이 켜놓아 할 수 없다고 툴툴대던 것이 기억난다.

왜 설에 만두를 먹는지 궁금했다. 한 해가 가고 새로운 해가 온다는 뜻의 지아오(交)와 발음이 같은 지아오(餃)이기 때문에 지아오즈를 먹는다고 한다. 물고기도 먹는데, 여유 있게 남는다는 뜻의 위(餘)와 발음이 같아서 위(魚), 물고기도 먹는다는 설명이다. 어느 나라건 민족이건 새해를 여는 음식이 있다. 우리에게 떡국이 있다면 중국인들에게는 지아오즈가 있다. 지아오즈는 물에 삶아 낸다. 만두피에 소를 넣어 초승달 형태로 빚는 것이 일반적이다. 안에 넣는 재료가 주로 지아오즈의 이름이 된다. 채소와 고기, 해물을 가리지 않고 골고루 쓴다.

눈과 혀를 사로잡는 만두의 향연

이쉬엔지아오즈관(一軒餃子馆)의 메뉴판을 펼치면 각종 지아오즈 옆에 소로 넣은 재료를 함께 놓고 찍은 사진이 여러 장 있다. 양고기, 소라, 연근, 목이버섯 등 우리는 좀처럼 만두 속으로 먹지 않는 식재료들도 눈에 많이 띈다. 메뉴판에는 지아오즈를 우리말 물만두로 변역해 놨다. 강낭콩돼지고기물만두 같은 식이다. 만두만 시켜도 식탁은 금새 풍성해진다. 워낙 종류가 많아 골라 먹는 재미가 있다.

싼시엔지아오즈(三鮮饺子)는 삼선물만두다. 싼시엔(三鮮)이니 세 가지 좋은 재료를 썼다는 말인데, 지역마다 식당마다 싼시엔(三鮮)이 조금씩 다르다는 것은 중국 요리 기행을 거듭하면 쉽게 알 수 있다. 이 식당의 싼시엔은 돼지고기와 민물새우(湖虾子), 생새우살(干虾仁)이다. 식탁에 간장, 식초, 고추기름, 겨자 등이 모두 올려져 있지만, 끓는 물에 넣고 익혀 막 내오는 물만두를 간장에 살짝 찍어 먹는 것을 추천한다. 다양한 재료의 맛을 제대로 느껴보는 것이 묘미다. 작은 한 접시는 20위안(3,400원), 큰 접시는 28위안(4,760원)이다. 만두가 종류는 많지만 가격은 거의 비슷하다. 작은 접시는 20위안, 큰 접시는 30위안(5,400원)을 넘지 않는다.

지우차이주로우지아오즈(韭菜猪肉饺子)는 한국 사람 입맛에 가장 맞는다. 지우차이(韭菜, 부추)와 주로우(猪肉, 돼지고기)다. 시엔시아쉐이지아오(鲜虾水饺)는 신선한 새우로 꽉 찬 만두다. 새우가 올려진 딤섬과 비슷한 맛이다. 워낙 인기가 좋은 메뉴라 조금 늦게 가면 다 팔려 먹지 못하는 수도 있다. 니우로우양총쉐이지아오(牛肉洋葱水饺)는 소고기양파물만두다. 양총(洋葱)이 양파라는 뜻이다. 고기를 꺼리는 사람들은 야채로 속을 채운 만두를 먹으면 된다. 쩐쥔취엔쑤쉐이지아오(珍菌全素水饺)는 쥔(菌, 버섯)과 쑤(素, 채소)가 가득한 물만두다. 우차이쩡지아오(五彩蒸饺)도 많이 시킨다. 모듬 만두다. 만두피에 다섯 가지 색을 넣어 무지개처럼 보인다. 가득한 육즙이 풍미를 더한다. 단 한 가지, 한 번에 넘

1. 싼시엔지아오즈: 겉은 비슷해 보이지만 소의 재료에 따라 속의 색이 다르다.
2. 우차이쩡지아오

기기에 좀 거북했던 만두는 양로우쩡지아오(羊肉蒸饺), 양고기 찐 만두다. 양꼬치나 구이로 먹을 때는 무난한 양고기였는데, 쪄 먹는 양고기는 익숙하지 않아 좀 주저하게 됐다. 양고기에 무를 넣어 찐 만두도 별도로 있다. 양고기 맛에 익숙한 중국인들에게도 조금은 느끼한 맛이라고 한다.

만두에 집중하는 것이 정답인 식당이긴 하지만 미뤄놓기엔 다른 요리들의 맛도 훌륭하다. 여느 중국 요리를 거의 다 취급한다. 꿔바로우가 맛있기로 현지 한인들에게 소문난 곳이다. 꽌먼니우로우(罐焖牛肉)는 작은 항아리에 양념한 소고기 찜을 내온다. 꽌(罐)은 단지, 항아리라는 뜻이고 먼(焖)은 뚜껑을 닫고 약한 불에서 뜸을 들여 익힌다는 뜻이다. 작은 항아리에 담아 쪄낸 소고기, 돼지고기, 양고기 요리이다. 맛은 걸쭉한 비프 스튜와 비슷하다. 몇 점 먹으니 금방 바닥이 보인다.

바쓰따자오훙슈(拔丝大枣红薯)는 고구마 맛탕이다. 바쓰(拔丝)는 조각낸 감자, 고구마, 과일 등을 튀긴 다음에 설탕이나 물엿을 넣고 뜨겁게 버무리는 것을 말한다. 고구마와 함께 대추를 같이 넣었다. 슈(薯)가 고구마, 자오(枣)가 대추라는 뜻이다. 작은 그릇에 담긴 맹물이 함께 나온다. 실처럼 길게 늘어나는 물엿 가락이 물에 담그면 식어서 툭 끊어진다. 나중엔 끊어져 떨어진 물엿 가락도 싹싹 긁어먹게 된다. 워낙 달기 때문에 후식으로 적당하다.

채소 요리인 바이줘차이신(白灼菜心)도 주문했다. 중국 요리 먹을 때 많이 곁들이는 채소인데 채심, 또는 초이삼이라고 한다. 처

1. 꽌먼니우로우
2. 바쓰따자오훙슈
3. 바이줘차이신

음에는 청경채의 일종인가 싶었는데, 열대 지방에서 재배하는 채소라고 한다. 아삭하게 씹히는 식감이 좋아서 살짝 데쳐 간단하게 간장 등에 찍어 먹었다. 작은 노란 꽃도 함께 먹을 수 있다는데, 자주 주문했지만 꽃은 식당에서 보지 못했다.

페이스북을 만든 마크 저커버그가 설날에 만두를 빚는 사진을 올렸다. 저커버그는 중국계 미국인인 프리실라 챈과 결혼했다. 만두 2개가 놓인 사진을 올리면서 '어떤 것이 내가 만든 것인지 못 맞출걸?'이라고 장난스런 글을 남겼다. 저커버그도 새해를 맞는 중국 전통인 지아오즈를 비켜가지 못했다. 지아오즈의 초승달, 반달 모양이 옛 중국의 돈과 모습이 유사하다는 말을 들은 적이 있다. 돈을 좋아하는 중국인들이 그래서 지아오즈를 좋아한다는 얘기였다. 세계에서 가장 돈 많은 사람 중의 하나인 저커버그와 지아오즈라니 웬지 어울려 보인다.

 RESTAURANT TIP 一轩饺子馆 yìxuānjiǎoziguǎn

🕐 **가는길**　북경에 4개의 지점이 있는데, 코리아타운인 왕징에 2곳이 있다. 나머지 2곳도 왕징에서 멀지 않다. 메뉴판에 한글이 병기되어 있고, 중국인이 많긴 하지만 한국인 역시 주요 고객으로 하는 식당이다. 출장 오는 친구나 손님을 접대하기에 무난한 곳이다.

📍 **주소**　北京市 朝阳区 广顺南大街1号 娜丽莎大厦 2층

📞 **전화번호**　010-64735656

💰 **예산**　외관은 중국 요리집이고 인테리어도 깔끔한데, 만두의 가격은 한국의 괜찮은 분식집 수준이다. 중국의 동네 만두집에 비하면 비싼 편이지만, 다채로운 만두를 깔끔하게 즐기는네 몇 십 위안 징도라면 충분히 부담할 수 있다.

북경맛집 어디까지 가봤니?

초판	1쇄 발행 2018년 10월 31일
지은이	류종훈
펴낸이	한석준
편 집	윤군석, 정숙경
디자인	이상환, 정민애
관 리	허수지
펴낸곳	비단숲
주 소	서울시 마포구 연희로 11, 5층 CS-505호 (동교동, 한국특허정보원빌딩)
전 화	070-4156-0050
팩 스	02-333-1038
등 록	제2016-000288호
ISBN	979-11-88028-25-2

비단숲은 크로스게이트월드와이드㈜의 출판브랜드입니다.

※ 책값은 뒤표지에 있습니다. 잘못된 책은 바꾸어 드립니다.